此时此地

玛格南街头摄影经典

[英]斯蒂芬·麦克拉伦 编著　郑惠敏 译

CNS | 湖南美术出版社　　后浪出版公司

全国百佳图书出版单位

目录

第 2 页：**特伦特·帕克**（Trent Parke） 马丁广场，悉尼，澳大利亚，2006

对页：**伦纳德·弗里德**（Leonard Freed） 华尔街，纽约，纽约州，美国，1956

INTRODUCTION
前 言

今天所谓街头摄影的基石，即在公共领域抢拍未经预演的照片的冲动，是玛格南自1947年成立以来的基因的一部分。

亨利·卡蒂埃－布列松（Henri Cartier-Bresson） 西班牙，1933

勒内·布里（René Burri） 亨利·卡蒂埃－布列松，哈瓦那，古巴，1963

临时筑起的街垒将城市分割，从那里他带回了许多超现实的照片。同样，在北爱尔兰问题发生的初期，英国人克里斯·斯蒂尔－珀金斯（Chris Steele-Perkins）在北爱尔兰贝尔法斯特度过了几个月：他没有跟拍拿枪的人，而是将镜头对准碎石满地的街道上快乐玩耍的孩子。这些照片当时就刊登在报纸和杂志上，但它们也是出色的街头摄影典范，超越了报道的即时性。

街头智慧意味着什么？

每个喜欢大城市生活多变而醉人氛围的人，都自视在街头混得开。没人想成为那个外地人，被扒窃、送错地方，或者在打车、喝咖啡时比别人花了更多钱。

每个人都知道街头有智慧，人群中有智慧。拥有街头智慧就是在城市丛林中游刃有余，知道在哪里可以安全做自己的事，对哪些人要格外警惕，以及如何从棘手的处境中全身而退。但对街头摄影师而言，真正的街头智慧指的不仅仅是能够在都市环境中安全拍摄，它属于那些能以直觉感受周围环境和人群的人。对于专注于街头的摄影师，行为表现可疑是一大职业风险。它奖赏那些出手利落的赌徒。

这本摄影集呈现的所有玛格南摄影师，都称得上拥有街头智慧。每个人都——或曾经——在城市里工作，穿梭于都市的热流，寻找充满活力的瞬间，让照片呈现自身。像出租车司机一样，街头摄影师知道城市如何运转，人与人之间如何互相磨合，知道哪里才是最热闹的地方。知道华盛顿广场公园的秋日夕阳几时落下——这是一种街头智慧，同样，能回想起周五晚上苏活区（SoHo）哪条街最热闹也是。

2010 年，在伦敦金融区 [又称"伦敦城"（不同于"伦敦"）、"金融城"、"方里小地"等，下文中此类称呼指的都是同一个地方。——编者注]，我偶然遇见了澳大利亚的玛格南摄影师特伦特·帕克。那时于上午 9 点，但对于天刚亮就穿着人字拖出门拍照的帕克来说，那天的好光线已经消逝了。正如帕克向我展示的，在伦敦，如果你非常早起床出门，你就会注意到，随着这座城市著名的红色巴士反射出光亮，通勤族们的脸也发出红色光芒。这就是街头智慧。

纵横街头的摄影师，比如接下来你要看到的这些，同样善于感知现实与摄影可能发生共振的时刻——这时，气氛中的微小变化要求着集中的注意力、利落的手脚和一触即发的相机操作。从地铁站鱼贯而出的通勤族带来一阵都市和风，引得一群朋友春风满面；建筑工人一声叫喊，使得路人抬头寻望；一

玛格南摄影师进行街头摄影，常常只因为它本身十足的兴奋感。许多成员着迷于街头迅速塑造微型戏剧的能力，在敏锐的目光下，这些微型戏剧能将自身变成迷人且神秘的照片，其叙事潜力足以让托尔斯泰或普鲁斯特为之激动不已。

街头摄影纵情于不协调、不真实、变幻无常且难以言喻的事物。它崇尚模糊性，暗示一种我们只能偶尔感触到且一转眼就消失的平行现实。它更像一种传统而非类型，一套在需要时就能派上用场的即兴工具，就像爵士乐手寻找连复段（riff，即歌曲里连续重复演奏的段落。——编者注）一样。在最好的街头摄影作品中，我们向一系列情感敞开，有时是艾略特·厄威特（Elliott Erwitt）式的无厘头风趣，但也有怜悯、密谋以及间或的敬畏。

鉴于玛格南是摄影记者合作团体，其成员拍摄的最佳街头摄影作品有一些来自新闻任务。1968 年，法国人布鲁诺·巴贝（Bruno Barbey）用一整个夏天的时间记录了巴黎学生运动。

群游客察觉到第一滴雨，下意识地撑开雨伞。咔嗒。正像亨利·卡蒂埃－布列松说的："思考应该在事前事后进行，而不是在实际拍摄时。成功取决于一个人的综合文化程度，他的价值观、他思维的清晰以及精神的活泼。"

畅游街头的摄影师天生是肢体语言的阅读者。他们知道通勤族如何在地铁上掌控自己的个人空间，他们能察觉到正在等待过马路的某个人就要打哈欠了，还会感染于一群朋友晚上外出坐在一起的仪式感。靠近这样的场景，不露声色地进入拍摄范围，拍下一两张照片然后离开，不打扰拍摄对象，也不干扰拍摄场所，就像个飞贼。要想练就这一身功夫，就要成为一个分心大师，时刻准备用无敌笑容让不知情的拍摄对象放下戒备，或者当隐形斗篷不管用时，运用分心术。

当然，你不一定非得成为摄影师才能掌握这种观察本领。但今天城市居民的默认状态是——要么被手机屏幕分心，要么低头默默冲向出口，往往就只能把任务交给街头摄影师，由他们停下来，看一看，再看一看，提醒我们每时每刻都在体验都市热流是一种什么样的感受。

我的描述让人联想到法国的"漫游者"——那些有闲暇去观察酒吧外、街边市场上以及市政厅附近偶发的小型戏剧场面的城市漫步者。然而，真正的街头摄影师总是向内寻求灵感。

当视野中的事件与他们的心理状态产生强烈共鸣时，选择一个街头瞬间而非另一个的冲动也就成为一种释放潜意识的方式。正如智利的玛格南摄影师塞尔吉奥·拉莱（Sergio Larraín）所说："每次我把目光投向外部，手里拿着相机，其实我都是在向内寻找画面；只有当看到一些能引起内心共鸣的东西时，我才能让幻影的世界变成现实。"

街头摄影的核心是一种十分孤独、充满诗意的行动，它需要巨大的耐心和毅力。每年的成员大会上，玛格南成员都会与同事们分享前一年的成果，以期收获评价和信心。但个人项目也得到同人的高度重视。本集中有些作品是委派任务的成果，但大部分都是个人作品，是自主探索以及到未知世界进行冒险之旅的成果。一些玛格南摄影师根据对生活和生活所给予的一切的渴望来安排日常摄影之旅，戴维·赫恩（David Hurn）就是其中之一："生活就像它展现在镜头前面的那样，充满了复杂、奇迹和惊喜，因此我觉得没必要再去创造新的现实。对我来说，事物本来的样子拥有更多乐趣。"

起源故事

要解释玛格南街头摄影的起源，我们必须回到图片社成立的 17 年前。卡蒂埃－布列松，玛格南创始人之一，自称在看

雷蒙·德帕东（Raymond Depardon） 格拉斯哥，苏格兰，英国，1980

玛蒂娜·弗兰克（Martine Franck）阿兰·卡佩里耶（Alain Capeillères）设计的泳池，勒布吕斯克（Le Brusc），普罗旺斯，法国，1975

塞尔吉奥·拉莱 渔民的女儿，洛斯霍科内斯（Los Horcones），智利，1956

到匈牙利摄影师马丁·蒙卡奇（Martin Munkácsi）1930年拍摄的一张照片后爱上了摄影。那张照片上，三个非洲男孩呈现出几近剪影的形象，在东非坦噶尼喀湖（Lake Tanganyika）迎着浪花奔跑。摄影机捕捉到了他们自由而优雅的动作，以及活着的喜悦。这张照片促使卡蒂埃－布列松放下画笔，专心从事摄影。20世纪30年代初，蒙卡奇和他的匈牙利摄影师同伴安德烈·柯特兹（André Kertész）使用新近发明的徕卡手持相机，拍出了富有创意的效果。有了徕卡相机，在生活看似为摄影师做好安排的时刻，他们就可以在拍摄对象周围敏捷移动，捕捉稍纵即逝的瞬间。新的摄影形式成为可能——冲动的、亲密的，由摄影师将生活融入动态画框中。

卡蒂埃－布列松当即预测，相机和它的操作者能够嵌入人类的洪流中，并带回前所未有的图像，而他，作为一名摄影师，有责任探索这种新艺术形式。因此，刚刚20岁出头的卡蒂埃－布列松，游历欧洲和墨西哥，带着一部新式徕卡和一个50毫米镜头，拍出了快速的光之素描，后者在今天被我们视作街头摄影经典的奠基性文献之一。这些珍稀的早期杰作，有些将在本书稍后的部分呈现。

没人会否认卡蒂埃－布列松的那些照片——在废墟中玩耍的西班牙孩子、正在休息的妓女和巴黎街市上的怪人——是一位动作敏捷、直觉敏锐的摄影师使用徕卡相机所创造的新奇而大胆的范例。但它们的意义远不止此。在20世纪30年代初，安德烈·布勒东（André Breton）的超现实主义运动正值巅峰，对法国艺术界影响巨大。卡蒂埃－布列松是他的粉丝，渴望能在摄影方面对超现实主义有所贡献，从例如形式和意义的碰撞、心理的深层能量以及对现代生活荒诞性的嗜好等方面进行

深入发掘。

卡蒂埃－布列松20世纪30年代的作品，很多都可以看到超现实主义的深刻影响，他有时在作品中加入冒险的幽默，有时则是一种逼近的恐惧感。这些初涉街头摄影的作品，当代观众可能觉得非常熟悉了，但在20世纪30年代，这种令人眼花缭乱的自由形式实验，彻底改变并拓展了摄影的视野。这位法国年轻人意识到，凭借那源源不断的视觉刺激以及象征机会，街头将成为他未来艺术创作的主要场所。

战争改变了一切

1947年2月6日，玛格南图片社在纽约成立，这对许多人来说是耳熟能详的故事。战争和种族灭绝引发人们的深思，因此四位创立这个机构的摄影师——卡蒂埃－布列松、罗伯特·卡帕（Robert Capa）、乔治·罗杰（George Rodger）以及大卫·西蒙（David 'Chim' Seymour）——明确了他们的工作将致力于特定的新闻目的。当时，殖民政权摇摇欲坠，军备竞赛预示着末日大决战即将来临，大量新闻杂志应运而生，都将目光对准了前线报道。玛格南希望通过反应迅速的自由摄影师来满足这种需求。这种方式下，投稿照片的出版权仍为摄影师所有。

战争和在劳改营的监禁，打断了卡蒂埃－布列松的职业生涯和艺术发展，但他仍渴望通过镜头来看这个世界——一个把玩构图规则、爱好混杂的隐喻并预先加载了街头活力气息的镜头。罗伯特·卡帕，玛格南最具企业家精神的人物，曾警告这位法国人，他们的新事业需要他控制住自己的超现实主义冲动。正如卡蒂埃－布列松在《决定性瞬间》（The Decisive

布鲁诺·巴贝 防暴警察监督清理雷诺汽车厂附近的路障，塞纳河畔弗兰（Flins-sur-Seine），法国，1968

拉古·拉伊（Raghu Rai） 一名工匠在为宗教节日制作神灵雕塑，孟买，印度，2004

Moment, 1952）中所回忆的："（卡帕）说，如果你被贴上超现实主义摄影师的标签，那你就走不远了，你会拿不到任务，变得像温室植物一样。不用管这些，就做你喜欢的事情，但标签必须得是摄影师。卡帕说得很对，所以我不再提起超现实主义，那是我的私事。而我想要的，我所寻找的，是我自己的事业。我不是记者，这只是偶然发生的，是副业。"

亨利之后

以卡帕为主要的招募专员，玛格南竭力寻找最好的摄影记者。但指望它的新成员只做新闻报道任务是没有意义的。1951年，德国摄影师赫伯特·李斯特（Herbert List）成为图片社新进人才，他对超现实主义街头摄影的嗜好根本无法控制。李斯特拍摄精美的时装照和人像，但在意大利拍摄的街头作品尤其展现出他不拘小节、富于冒险精神的一面。

1953年，非常国际化的艾略特·厄威特加入了玛格南，随即将一种街头摄影的敏感性带入图片社，其风趣幽默和乐观精神为图片社带来了巨大的利润。厄威特，一名自由摄影大师，在那个插图杂志的黄金时代拍摄了大量专题摄影作品。无论在工作中还是工作之余，厄威特都喜欢在日常生活的荒诞中寻找快乐，这使他成为与众不同的天才，而他对当今许多街头摄影师的影响也是深远的。"这就是对你所看到的东西做出反应，最好没有先入为主的观念，"厄威特说，"哪里都能找到照片。这只不过是注意到事物并将其组织起来的问题。你要做的就是关心你周围的事物，关注人性和人类喜剧。"

20世纪50年代末，塞尔吉奥·拉莱成为又一位伟大的玛格南天才，他的关注点也在街头。1958年他在雾霾弥漫的伦

敦拍摄的那些令人不安的作品，引起了卡蒂埃－布列松的注意，他由此加入玛格南。拉莱终其一生都是一名游牧摄影诗人。他很少接受有报酬的拍摄任务，更愿意贴近他所熟悉的东西：贫穷和孤独。

"作为存在主义作者的街头摄影师"这个概念，兴起于20世纪60—70年代的纽约。这些摄影师在城市街头出没，带着徕卡相机，渴望用一卷卷35毫米胶片记录人类的生存状态。乔尔·迈耶罗维茨（Joel Meyerowitz）、李·弗里德兰德（Lee Friedlander）和加里·威诺格兰德（Garry Winogrand）是当前时代无数街头摄影师的偶像，但当时的玛格南也有布鲁斯·戴维森（Bruce Davidson）和伦纳德·弗里德这样的天才，他们完全能够在纽约和其他许多城市找到诗意和勇气。戴维森和弗里德最出名的是专注的长篇纪实项目，但他们取得的成就离不开街头与它的众多记录者。

卡蒂埃－布列松几十年来作品的质量和他作为世界最著名摄影师的地位，确保了他在玛格南同行中稳固的声誉。他在《决定性瞬间》中阐述的摄影理念，深刻影响了许多新进成员，其中诸多理念——只用自然光、不裁剪照片、只用黑白胶片——塑造了那个时代许多玛格南摄影师的美学。

叛逆本性

20世纪80年代，彩色摄影正式向新闻摄影和纪实摄影领域进军。周末新闻杂志开始使用彩色印刷，摄影师也开始采用感光速度更快的胶卷和更可靠的处理方式。尽管对卡蒂埃－布列松来说，在街头拍摄彩色照片是不可想象的，但事实证明，至少有四位玛格南摄影师对此无法抗拒。傲慢和自恋的

克里斯·斯蒂尔－珀金斯 街头派对，西贝尔法斯特，北爱尔兰，英国，1979

布鲁诺·巴贝 卸金枪鱼，桑托斯将军城（General Santos City），棉兰老岛，菲律宾，1995

20 世纪 80 年代，成了反抗大师的完美十年。布鲁诺·巴贝、雷蒙·德帕东、布鲁斯·戴维森和哈里·格鲁亚特（Harry Gruyaert），每个人都以自己的方式表明，彩色是一种极富表现力和创造性的选择，再也不能因为偏向某种摄影纯粹性而压制它。

戴维森的摄影书《地铁》（Subway，1986）可能是距离卡蒂埃－布列松在玛格南逐渐灌输的传统最远的作品。书中的照片是他用 35 毫米相机、广角镜头和强力闪光灯，走遍纽约地铁拍成的。"有时候，"戴维森解释说，"我会先拍照片，再跟人家道歉，解释说感觉来得太好了，我没办法打断它，希望他们别介意。有时我只拍照，什么都不说。但即使是后一种方式，闪光灯也会把我暴露。它一亮，车厢里谁都知道有点什么事发生了——聚光灯刚刚打在某人身上。"

在 1988 年以准成员身份加入玛格南之前，马丁·帕尔（Martin Parr）在他出版的《坏天气》（Bad Weather，1982）一书中展现了自己的另类天才，他丝毫不想与什么美学教条为伍。通过使用强力闪光灯在爱尔兰和英格兰北部的暴风雨天气环境下拍摄，帕尔成了不折不扣的规则破坏者，他把公共领域当作自己的游乐场，一开始是批评英式毛病，后来开始评点各种全球流行现象，比如旅游和奢侈的生活方式。帕尔与卡蒂埃－布列松以及玛格南战争摄影师菲利普·琼斯·格里菲斯（Philip Jones Griffiths）都有过争论。布列松认为帕尔的作品不真诚；而格里菲斯，根据帕尔的说法，"把自己的关心忧虑挂在袖子上，而我把我的人道主义伪装起来，让它看起来像娱乐"。

作品集

深入玛格南档案，寻找那些几十年过去还能引起共鸣的瞬间，足以耗掉许多天的时间。一次又一次，我们看到图片社的摄影师们以丰富的想象力和细腻的笔触，对这一人类日渐习惯的都市繁忙生活方式做出回应。然而，选择单一的、通常具有标志性的照片来展示某人一生的街头摄影工作，让人感觉更像是一种糖分刺激，而不是适当的养料。因此，编撰这本书的根本目的，是寻找那些能够对同一主题进行持续探索的作品。本书所处理的题材和探索领域的范围，与玛格南本身的人才基础一样深广。

在本书的调研过程中，我有幸结识了几位作者，发现他们每个人都很实在，而且对自己的作品很谦虚。在布里斯托，我在马丁·帕尔新创办的基金会兼画廊里采访了他，很高兴发现他自相矛盾和喜欢恶作剧的本性依然如故。在伦敦泰特现代艺术馆，出生于苏联的格奥尔基·平卡索夫（Gueorgui Pinkhassov）向我展示了他最近拍摄英国海滨度假胜地布莱克浦（Blackpool）的任务成果。不用说，照片看起来跟我熟悉的布莱克浦一点都不像。在南威尔士，我拜访了戴维·赫恩的河边小屋，听这位骄傲的 84 岁威尔士人讲他前往地中海旅行的计划，他要重温 40 年前的一个项目。在威尔特郡的索尔兹伯里，我找到了另一位 84 岁的玛格南新闻摄影大人物伊恩·贝里（Ian Berry），他正在把他的阁楼改造成档案室，对档案进行数字化处理以便留给后代，同时他还计划去远东进一步探险。

玛格南天才们永不安分，一直在期待下一趟国际任务。因此，看到尼科斯·伊科诺莫普洛斯（Nikos Economopoulos）在加纳，克里斯托弗·安德森（Christopher Anderson）在

亨利·卡蒂埃－布列松 里窝那，托斯卡纳，意大利，1933

巴塞罗那逐光拍摄，布鲁诺·巴贝在职业生涯中无数次前往中国，就一点都不奇怪了。我跟理查德·卡尔瓦（Richard Kalvar）交谈时，他正在巴黎家中。他在自己的玛格南博客上描述了他和所有同事共同面临的挑战："亨利·卡蒂埃－布列松认为的那种决定性瞬间，对每个人来说并不一定都是同样的。亨利为应做的事定下规则，但实际上他只是描述了他做过的事。你的决定性瞬间跟我的不一样，但我们中的大多数都在为我们努力做的那个东西寻找一个必要的瞬间。不必要的瞬间很快就变得简单、普通、无聊。"

本书的目的之一，就是要让人们看到那些以前可能没有得到广泛关注的项目和热情所在。个人作品集呈现了从 20 世纪 30 年代到现在的作品，这些摄影师不仅有自己的风格，也有独到的眼光，而这一点是不太成功的街头摄影师难以具备的。此外，你还会发现本书涉及的摄影形式、技巧和题材范围都非常广泛。

从布鲁斯·吉尔登（Bruce Gilden）的作品中，我们选出了一系列冲击强烈的照片。它们拍摄于 20 世纪 80 年代的纽约，其中一部分是他最近在翻阅一些被遗忘的、没有冲洗的胶卷时才发现的。即使过了 30 年，吉尔登的曼哈顿看起来还是一如既往地新鲜活跃。紧跟当下最新的发展动态，我们展示了纽沙·塔瓦科利安（Newsha Tavakolian）的作品，她是玛格南最新成员之一，来自伊朗首都德黑兰。塔瓦科利安是个低调而专注的摄影师，尽管受政治和信仰方面的限制，但她仍在努力向我们展示现代伊朗的街头生活。

城市

世界四大都市——巴黎、纽约、伦敦和东京——占据了街头摄影历史的绝大部分篇幅。在本书"他们如何拍摄……"标题下的系列专题中，我们可以看到，这些现代都市中心对玛格南摄影师具有磁铁般的吸引力。在这些专题中，我们分别考察了那些吸引摄影师的主题，找出他们喜欢的拍摄地点，探讨他们如何应对这些城市数十年不断变迁发展的特质。

20 世纪初，布拉塞（Brassaï）、柯特兹和罗伯特·杜瓦诺（Robert Doisneau）等天才摄影师在巴黎的林荫大道和河岸上拍照，因此巴黎可以说是街头摄影作为一种严肃艺术形式的发源地。玛格南第一个办事处就设在巴黎，许多著名成员都曾在这里生活和工作，或来这里参加过图片社的会议。在第二次世界大战即将结束的那段时间，卡蒂埃－布列松就在这里拍摄，但他那时的作品跟 20 世纪 50 年代拍的那些俏皮而深情的巴黎照片迥然不同。过去 100 年里，巴黎的面貌和感觉并没有明显变化，因此探索近来的玛格南成员如何应对视觉上的挑战，对这样一座以保持其在奥斯曼［即乔治－欧仁·奥斯曼男爵（Baron Georges-Eugène Haussmann），法国城市规划师，因获拿破仑三世重用，主持了 1852—1870 年的巴黎城市规划而闻名。——编者注］时代的历史性都市核心地位为荣的城市进行拍摄，是很有启发意义的。

玛格南与纽约之间渊源深厚。玛格南图片社就是在纽约成立的，1946 年，卡蒂埃－布列松也是在这里举办了他的第一个正式展览。街头摄影在哥谭市（Gotham，纽约别称。——译者注）的黄金岁月是 20 世纪 60 年代，当时摄影师成群结队在第五大道上逐光拍摄，"他们如何拍摄纽约"这部分呈现了布鲁斯·戴维森和雷蒙·德帕东等人在那个动荡年代的作品。20 世纪 70—80 年代，我们看到纽约人布鲁斯·吉尔登将一种全新的街头摄影形式——可以说是"近身

搏击"——带到了曼哈顿的大道和康尼岛附近的海滩上。

东京的摄影文化首屈一指。这里出产的经典相机比任何城市都多，而摄影师们长期以来都为这座高科技 - 未来主义之都所吸引，它似乎比地球上任何地方都更快速地奔向未来。大多数玛格南摄影师都不是日本人，所以他们对东京的认识基本上都基于外来者的视角。但正如我们将看到的，外来者往往比本地居民更能清楚地看到一座城市的潜在现实。

在街头摄影传统中，伦敦可能不具备一个可以与巴黎和纽约媲美的历史性时刻，但它那些古老与现代交错的街区和具有感染力的气候状态，不断吸引摄影师前来拍摄。过去十几年里，街头摄影在这里几乎已经成为一种受人尊敬的爱好；此外，值得特别关注的是，对这个由曾经的罗马村落变成的全球巨兽，特伦特·帕克和卡尔·德·凯泽（Carl De Keyzer）这些玛格南新成员将如何看待？

游乐场

对于精明的摄影师，街头摄影的一大魅力是，可以用无数种方式来拍一张照片，虽然最终只有极少数值得装入相框保存起来——更不用说展示了。通常情况下，摄影师按下快门满心期待，拍完然后迅速走开，这是一种屏息凝视的练习，从不感到有特别的方向性，当然也不可能预见到什么。

有时摄影师需要源源不断的拍摄对象来训练拍摄技术，有

时他们需要一个可以在其中即兴发挥并且与周围事物互动的环境。因此，当看到街头摄影师在城市市场里、公共交通上或者海滩和博物馆等休闲娱乐场所磨炼技艺，我们不必感到惊讶。本书用三个独立的视觉专题展示了玛格南摄影师如何在这样的地点进行主题创作，他们不仅发展了自己的视觉语言，也让我们看到，在这些逐步主宰我们生活的城市里，我们如何继续共存甚至繁荣发展。

结束语

街头摄影，无论被看作一种传统还是一种类型，显然正在享受它的第二个黄金时代，薇薇安·迈尔（Vivian Maier）和马丁·帕尔等人的相关书籍非常畅销，大牌摄影师主持的工作坊也大受欢迎，社交媒体上一波又一波的摄影新秀正在展示他们的作品。在 20 世纪 50—60 年代的第一个黄金时代，街头摄影还算不上什么"东西"。如果你让公众说出一个知名摄影师的名字，只会得到空洞的眼神回应，因为它还不是一种主流文化活动。然而它在今天的流行是一把双刃剑，因为后现代主义者、美术策展人和各式各样的文化批评家都希望它死掉，以便让更多概念和理论驱动的摄影作品凌驾于街头摄影队伍的"低级"工作之上。

那么，《此时此地：玛格南街头摄影经典》就是一次大型展览，让我们看到为什么在公共场所拍照仍然是一种有效而广

克里斯·斯蒂尔－珀金斯　与狗和驴子在海滩上，布莱克浦，英国，1982

卡尔·德·凯泽　哈瓦那，古巴，2015

布鲁诺·巴贝　奥克巴-本-纳菲（Oqba-ben-Nafi）大道，索维拉（Essaouira），摩洛哥，1997

布鲁斯·戴维森　地铁，纽约，纽约州，美国，1980

受欢迎的文化形式，为什么玛格南摄影师们仍在继续拓宽视野、开拓观看世界的新方式。这里没有什么需要被"拷问"，也没人打算综合出一种"基于镜头的媒介"，但这并不意味着本书没有认真对待事情。如果这本书有点什么想要表达的，那就是我们这个超媒介化、高度紧张的现代社会正在呼唤摄影师们去记录近年来发生的城市化巨变。

在文化评论家帕特·凯恩（Pat Kane）看来，街头摄影是一种内在的民主活动，在这些动荡年代中拥有巨大的共情潜能："我认为街头摄影是一种伟大的当代艺术形式。如果说我们需要做什么的话，那就是截住这源源不断的图像流，凝视那些存在的事物，持续宝贵、冥思的片刻。想一想，在我们建构起来的环境中，意义、历史和权力的沉积过程是怎么样的。看一看，在这样的环境中，人类如何屈服、应变、适应，甚或抵抗、茁壮成长。沉思一下，在今天的时尚和模式的遮盖下，普遍的、反复出现的人类动作和情感是怎么样的。"

埃里克·基姆（Eric Kim）是一位生活在加利福尼亚州的摄影师和教师，他的街头摄影工作坊一向非常卖座，据他说，对于他和他的学生，玛格南仍然是主要的影响因素："如果没有玛格南摄影师，我的街头摄影就会迷失方向。我把所有玛格南摄影师都当成我的英雄向导、启蒙老师，他们不仅是理论家，更是不计风险的实干家。他们也影响了我，教会我街头摄影既可以美丽诗意，也可以关乎我们对社会的思考。玛格南留给后辈的教诲是，我们街头摄影师必须严谨而勇敢，必须勇于冒险，拍出力量饱满的照片和图像。"

并不是所有玛格南摄影师都会有这样的冲动——抓起相机就冲到大街上开始拍，但街头摄影仍然是图片社坚守的传统。就像爵士乐一样，它偶尔会被形容为受历史束缚，过时又死板，但仍能保留其蜕变成新音乐形式的能力，街头摄影作为一种实践继续蓬勃发展，因为它让摄影师能够动人而优雅地回应此时此地的境况。

让我们一起走进《此时此地：玛格南街头摄影经典》，让它载我们前往真实的拍摄地，在这里，你可以看到全世界最伟大的街头摄影作品，它们出自最优秀的、脖子上挂着相机的摄影师之手。除了卡蒂埃-布列松和布鲁斯·戴维森这些20世纪摄影大师的作品集，你还将看到新一代玛格南天才的作品，他们和前辈一样，利用街头实现了自己的目标。在你读这篇文章的同时，有一些人正在街头拍摄。这就是他们的工作。

IN TRANSIT

在途中

街头摄影师从不满足于原地不动，没有浪费多少时间就将自己的活动范围从城市的大街扩展到了人们进行社交或独处的其他公共场所。

交通工具，这一将城市居民从办公室送回家、送去休闲玩乐的都市润滑油，对那些正在寻找新角度来表现城市生活浮躁和冷漠特质的摄影师来说，一向是个不错的选择。

玛格南摄影师是一群出了名的"逍遥派"。自1947年起，他们就在各大洲间穿越，不息地奔赴下一个伟大的人类故事。而就像处在一条巨大松紧带的两端一样，每年他们都会回到巴黎、伦敦、纽约或东京，参加一年一度的聚会。本质上，他们大多数都是不折不扣的游牧民，在把相机、多口袋工作服、各地土产药品以及签证装进结实耐用的旅行包时，感到了无比的自由。

"在途中"似乎是大部分现代生活的默认状态。我们的通勤时间变长了，地铁网络纵横交错，机场本身也像一座独立的现代城市。我们似乎总在乘坐或等待某种交通工具，无论是飞机、火车还是汽车，而这给街头摄影师提供了大量的拍摄素材。

公共交通工具使用者所面对的空间是极其逼仄受限的，而第一个让我们注意到这点的是一位玛格南之外的摄影师——沃克·埃文斯（Walker Evans）。他在1938年到1941年间拍摄了一系列纽约地铁人像作品，这些照片显得不太光明正大，可以看出他通过入侵通勤族的私人空间得到了一种先声夺人的快感。他当时写道："戒备放下了，面具摘掉了。人们的面孔赤裸裸地搁置在地铁里。"

埃文斯之后大概40年，玛格南摄影师布鲁斯·戴维森用35毫米彩色胶卷和一只大号闪光灯，在纽约地铁上拍出了一个非常不一样的地铁时代。戴维森开玩笑地自称"集变态、偷窥者和暴露狂于一身的摄影怪物"，比起把相机藏在大衣里的埃文斯，他更容易被拍摄对象看到。

对戴维森来说，这些最终以《地铁》一书出版的照片，代表了一次发现之旅，是花五年时间周游地铁网络的成果。在20

世纪80年代，地铁非常脏乱，甚至会引起幽闭恐惧，且暴力四伏。戴维森对色彩具有高超的驾驭能力，而且能平衡好地铁霓虹灯与闪光灯的光线，这些成就了一本让人爱不释手的书，同时也提醒我们，即使在城市地下，人类也在不断地自我表达。尽管有时会损害自身形象，戴维森还是把《地铁》看作一次充满人文关怀的努力："我想把地铁那黑暗、堕落、冷漠的现实转化成图像，再一次打开我们的体验，让我们看看那些每天乘坐地铁的一个个具体的人，感受他们身上的色彩、感性和活力。"

一向敏感于经济发展和社会阶级问题的玛格南摄影师，时刻紧密关注着大众的生活方式。例如，1953年，沃纳·比朔夫（Werner Bischof）从纽约一栋楼的屋顶向下俯瞰，用鸟瞰视角表现出，私人出租车的普及已经将城市的大街小巷变成了五彩棋盘，风靡曼哈顿。在格鲁吉亚，克里斯蒂娜·加西亚·罗德罗（Cristina García Rodero）观察到欧亚大陆的人群拥挤在一辆苏联时代的公共汽车上，而车子似乎没有要快一点的意思。1993年，斯图尔特·富兰克林（Stuart Franklin）找到一个高处拍摄点，记录了上海几百名在雨中骑自行车上班的人，一场缓缓移动、色彩斑斓的露天表演。显然，人们更多是在忍受大众交通而非乐在其中，但在这样的照片中，我们看见自己的影子，在挣扎着从A地赶到B地的过程中，努力保持人性的完整。

如果有一位玛格南摄影师将公共交通工具当作个人摄影乐园，那就是格奥尔基·平卡索夫。平卡索夫利用火车和公共汽车发出的实用性彩色强光拍摄，创造出一种对短暂易逝的现代状态的多层次召唤。尤其在夜晚，来自金属管道内部的图像既柔和绚丽又让人不安，表现出乘客极其孤独和内省的状态。平卡索夫或许只通过取景器与他的拍摄对象相遇，但他成功地在那些来来往往没有明确目的地的深夜旅行中呈现出一种经验共性。"唯一重要的是好奇心，"他解释说，"对我个人而言，这

史蒂夫·麦凯瑞（Steve McCurry） 旧德里火车站，德里，印度，1983
第 16 页：**格奥尔基·平卡索夫** 新地铁，东京，日本，1996（局部）

就是创造的意义所在。与其说它是在对重复做同一件事的恐惧中表达自己，不如说它是在对不再去已经去过的地方的渴望中表达自己。"

　　在认识到机场已经自然而然成为玛格南成员的第二个家之后，出生于中国台湾的摄影师张乾琦出版了《倒时差》（Jet Lag，2015）一书。在这部实力作品中，将他带往下一个国外拍摄任务的无名机场航站楼被拍成了一个个"候宰栏"，里面是那些在倒换的时差中晕头转向的人。在接受《时代》周刊采访时，张乾琦说："时差是一种地方性疾病，并且随着世界逐渐变小而越发严重；摄影师和所有我们这些'随叫随到'的人，生活都受到时差的深刻影响。一个电话打来，你就得放下手头上所有事情，来到这个在离开和到达的责任之间的中间地带。在这里，时差不仅仅是失眠问题。"

　　张乾琦很好地利用了长途航空旅行途中昏昏欲睡的时刻，把镜头对准那个我们一通过护照检查就被围入其中的陌生、密闭的空间。飞行员和乘务员在登机口之间静静走动，疲惫烦躁的乘客则把自己折叠起来，挤进座位，希望那是一张床。在这重重监控的空间里，摄影师的拍摄——即便是暗中偷拍——并不多见，但由于我们大多数人都迷迷糊糊地通过机场，张乾琦的照片让我们能够更仔细地看到这些中间地带。"这几乎是一种普遍的不愉快体验，"他说，"也是一个巨大的摄影挑战。要怎么拍出那种等候和期待的情绪呢？"

　　公共交通网络是一群躁动不安、吞噬能量的野兽，是我们的世界奔向城市化发展的基础，但它们也呈现出被下一代系统阻碍的趋势，比如共享单车和单轨电车。大众交通工具的选择范围也许还在继续扩大，但公共交通将永远是街头摄影师的兴趣所在，他们渴望在齿轮的嘎吱声和刹车的趔趄中找到人性的瞬间。

张乾琦　维也纳机场，维也纳，奥地利，2011

"'在途中'似乎是大部分现代生活的默认状态。"

亚历山德拉·桑吉内蒂（Alessandra Sanguinetti） 街头干预活动家们在阻止非法左转，波哥大，哥伦比亚，2013

比克·德波特（Bieke Depoorter） 选自《我要收工了》（*I AM ABOUT TO CALL IT A DAY*）系列，2010

第 22—23 页：**沃纳·比朔夫** 纽约，纽约州，美国，1953

"要怎么拍出那种等候和期待的情绪呢？"

——张乾琦

拉古·拉伊　在一辆内饰特别的出租车上，孟买，印度，2010

吉姆·戈德堡（Jim Goldberg）　从塞萨洛尼基到雅典火车上的罗马女孩，希腊，2005

"唯一重要的是好奇心。"

——格奥尔基·平卡索夫

托马斯·多尔扎克（Thomas Dworzak） 过街人行横道，埃里温，亚美尼亚，2014

第 26—27 页：**克里斯蒂娜·加西亚·罗德罗** 格鲁吉亚，1995

彼得·马洛（Peter Marlow） 酒店工作人员向离去的游客鞠躬，日本，1998

哈里·格鲁亚特 银座街区的十字路口，东京，日本，1996

斯图尔特·富兰克林 雨中骑自行车的人，上海，中国，1993

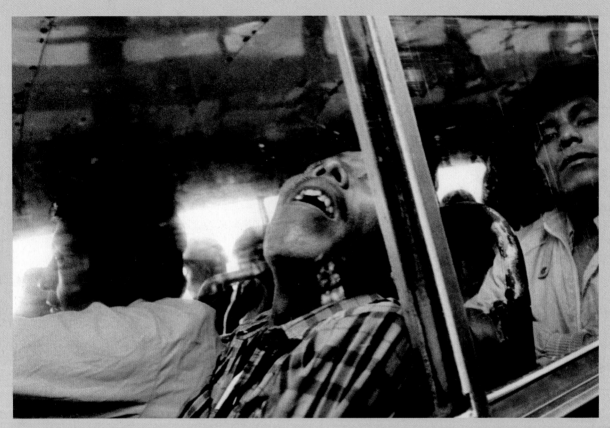

安托万·达加塔（Antoine d'Agata） 危地马拉城，危地马拉，1998

埃里·里德（Eli Reed） 蒙哥马利，亚拉巴马州，美国，1995

帕特里克·扎克曼（Patrick Zachmann） 泛美公路上的小贩，阿塔卡马沙漠，智利，2002

"我想把……冷漠的现实转化成图像，
再一次打开我们的体验……感受他们身上的色彩、
感性和活力。"

——布鲁斯·戴维森

托马斯·多尔扎克 伊朗边境附近的新加油站，米什利什（Mishlish），阿塞拜疆，2000

哈里·格鲁亚特 戴高乐机场，巴黎，法国，2012
对页：克里斯托弗·安德森 戴高乐机场，巴黎，法国，2017

ABBAS

阿巴斯

2018 年，当阿巴斯以 74 岁高龄去世时，玛格南成员集体致以哀悼。在众多吊唁者中，玛格南主席托马斯·多尔扎克向这位资深摄影师致敬："他是玛格南的支柱，是一代年轻摄影记者的教父。"

阿巴斯·阿塔尔（Abbas Attar），出生于伊朗哈什（Khash），1981 年加入玛格南。他是一名坚定的人道主义者，也是玛格南主要的思想家之一，拍摄过越南战争、伊朗革命和北爱尔兰问题。20 世纪 80 年代，他不由自主地一次又一次回到墨西哥，进行私人冒险，并为他的摄影寻找一种更新颖的创作方式。最后的成果《重返墨西哥》（Return to Mexico，1992）一书，是对这个国家的一次高度个人化且具有视觉复杂性的呈现。

与 20 世纪 30 年代的卡蒂埃-布列松一样，阿巴斯将墨西哥视为他可以倾注全部创作精力的主题。他想提升自己作为讲故事人的手艺，重新发现自己当初成为摄影师的真正原因。只要有可能，他就会待在偏僻的村庄里，那里的婚礼和葬礼有一种高度的公共参与感。在呛人的尘土中，在困兽犹斗的动物和戴面具的孩子中间，他对墨西哥，对其狂野又带有宿命感的精神世界有了直观的认识。

当被问及为何在拍摄伊朗革命后选择前往墨西哥时，阿巴斯说："经过两年的动荡，我能预见到伊斯兰革命的浪潮不会一直局限在伊朗内部。但我在情感上还没有准备好去报道……伊朗已经让我筋疲力尽了。我就去了墨西哥。在那之前，我一直是个拍摄新闻现场的摄影记者；而在墨西哥，没有什么事情发生。我就到处旅行，像写小说一样拍摄这个国家，重新定义我的摄影美学。"

在《重返墨西哥》里为照片附上的那些日记中，我们可以看到他写作天赋的显露，这在后来更趋成熟。比如日期为 12 月 21 日的这篇："探索墨西哥的最佳方式就是迷路。随便搭辆巴士，随心所欲地为偶遇、活动或都市风格建筑停下，花一整天在同一个区域内来回游荡。终于，在这个第三世界的城市里，我可以完全自由地拍摄任何东西；没有人催促我'去看看那些现代化的街区'，没有新上任的艺术总监，没有镜头审查员，没有视觉领域的独裁者。"又比如 4 月 22 日这篇："有时候我不拍照，就在那里逗留消磨。我通过取景器选择景框，什么元素都有——墙壁、树木、电线塔、空间——选择一个能提供所需意境或特色的景框，然后耐心等待生活剧场用人、动物和阴影带来惊喜。"最后，9 月 22 日这篇："我没有在拍摄什么专题——比如说'用光写作'。我没有什么需要证明或展示的东西，除了我自己。我已经沉浸在墨西哥，让这个国家的节奏引领我，让它的呼吸占有我——而不是我在引领或占有。小说家不就是这样工作的吗？"

尽管在墨西哥城遭遇抢劫，阿巴斯还是保住了他的徕卡相机，以及他对自己内心深处使命的信念：用一本摄影书来展示墨西哥的一切——它的城市、它的村庄、它的神话、它的贫困。他对他所从事的，也是他的同事们继续从事的工作的描述——有关它为何如此重要——可以说是玛格南在 21 世纪的使命宣言："我们摄影记者不能改变世界。我们能做的就是让人们看到，为什么这个世界在某个时刻必须改变。"

阿巴斯　一名砍甘蔗工拿着她的砍刀，墨西哥，1984

第 38 页：**阿巴斯**　宰杀后的牛头、饿狗、杆上的帽子，圣奥古斯丁·奥潘（San Augustín Oapan），墨西哥，1983（局部）

"我们摄影记者不能改变世界。我们能做的就是
让人们看到，为什么这个世界在
某个时刻必须改变。"

——阿巴斯

阿巴斯　地铁口悲伤的小提琴手，墨西哥城，墨西哥，1983

阿巴斯　玩铁环的男孩、狗和男人，查姆拉（Chamula），墨西哥，1983

阿巴斯　沙漠中扛桌子的男人，圣奥古斯丁·奥潘，墨西哥，1984

阿巴斯　墨西哥城，墨西哥，1983

CHRISTOPHER ANDERSON

克里斯托弗·安德森

谈到街头摄影的过去、现在和可能的未来，美国摄影师克里斯托弗·安德森——自 2004 年起成为玛格南成员——一直是个用功的学生。

仔细思考了塞尔吉奥·拉莱和哈里·格鲁亚特等玛格南重量级人物的摄影巅峰之后，安德森自问是否能够——甚至是否应该去尝试——模仿他们的构图技巧和高度成熟的美学。过去几年，随着人像摄影任务逐渐占满日程，他开始认为街头摄影并不是完全取决于决定性瞬间，更重要的是在陌生人中看到的情感状态。

"我深深扎根于古典传统。我很早就开始使用胶片拍摄，并以布鲁斯·戴维森、寇德卡（Koudelka）以及日本摄影师森山大道（Moriyama）和北岛敬三（Kitajima）为偶像。他们可以说是街头摄影领域的神话人物，我会坦白承认他们对我的影响。但最近，随着我的人像摄影越来越出名，我开始向一种与我自己更相关的街头摄影方向发展。他们的照片常常是关于如何用精湛的技巧和训练来实现……惊艳的构图——以胶片为媒介，而我现在使用不同的工具，数码工具，这避免了他们担心的一些东西，比如曝光、对焦和色彩效果。你可以在我早期的街头摄影中看到，我当时在努力研究那些人是如何创造出如此完美的画面的，但一段时间后我开始觉得，比如说，努力模仿哈里·格鲁亚特的完美照片到底有什么意义？

"我一直对拍摄对象的内在生活和情感状态很感兴趣，而不仅仅是构图。我会进行较大幅度的裁剪，以便去掉背景信息，比如我进行拍摄的地点……现在我会试着去关注街上那些我正在拍摄的人的情感感受……试着去感应一座城市的节奏，人们在人群中移动时感到的孤独。"

在他最近在中国和日本的一些城市拍摄的照片中，安德森利用了这种都市剧场所提供的"全光谱"光线和氛围。苍白的雾霾、霓虹招牌、智能手机发出的蓝光，混合在一起，从坚硬的表面反射到他那些抽空背景的拍摄对象身上，使头发浸染上乳白色光泽，脸部呈现奇异色调。就在街头摄影似乎已经耗尽题材的时候，安德森找到了新的角度、新的视野和新的追求。

"在我看来，街头摄影似乎比过去更流行了。当然，黄金时代或许已经过去，但让我感到惊讶的是，现在好像有那么多人都在做街头摄影，并在网络上展示他们的作品……寇德卡说过一些话让我非常有共鸣。他说：'我想看一切事物，想成为视觉本身。'我完全理解他的意思，相机使我们能够去做那么一件浑然一体的事情：看看别人，保持充分的自觉，去注意一切事物。每当我在街上拍照，那几乎就像一种冥想，扫过一张张脸，琢磨着这些人可能是谁，在我按下快门的那一刻他们可能在梦想些什么。"

克里斯托弗·安德森　巴塞罗那，西班牙，2016
第 44 页：**克里斯托弗·安德森**　影子自拍，巴塞罗那，西班牙，2017

克里斯托弗·安德森　街头人像，城东社区（Chengdong），深圳，中国，2017
对页：**克里斯托弗·安德森**　深圳，中国，2017

克里斯托弗·安德森　樱桃撒落在人行横道，纽约，纽约州，美国，2014

"我会进行较大幅度的裁剪，以便去掉背景信息……试着去关注街上那些我正在拍摄的人的情感感受。"

——克里斯托弗·安德森

克里斯托弗·安德森　曼哈顿金融区，纽约，纽约州，美国，2008

克里斯托弗·安德森　肯特大道（Kent Ave）和南三街交叉路口的日落，威廉斯堡（Williamsburg），布鲁克林，纽约，纽约州，美国，2016

克里斯托弗·安德森 街头人像，上海，中国，2018

克里斯托弗·安德森 上海，中国，2018

克里斯托弗·安德森　中国，2017

OLIVIA ARTHUR

奥利维亚·亚瑟

双重曝光、印在透明纸上的照片，以及偶然听来的只言片语，结合在一起，促成了《陌生人》，一本迷人的摄影书，由英国摄影师奥利维亚·亚瑟在中东大都市迪拜拍摄而成。

亚瑟的《陌生人》（Stranger）于 2015 年出版，混合了人像、景观和快照，拍摄于一个既高度现代化又深深扎根阿拉伯历史的城市。从整体上看，这本书构成了一种令人迷失方向的叙事——而这正合摄影师之意。

"这是一本关于迪拜的多层次作品，"亚瑟解释说，"它连接过去——发生于 60 年前的一次沉船事故——和现在，尝试去想象，那场意外的幸存者在今天这个高楼林立的城市里会看见什么。这个故事将迪拜看成一个与世隔绝、令人琢磨不透的地方。我在书中将照片一张一张地叠放在透明纸上端，并融入一些我偶然听来的对话……因此这本书更像是一种经验，而非一系列独立的照片。"

亚瑟独自一人在迪拜生活了三个月，交替使用中画幅胶片和 35 毫米数码相机，给书中的每一页都增添了质感和惊喜。在迪拜这样一个多元杂糅却又浸淫传统的城市里，看到一头待宰羔羊正被人抬着去参加古尔邦节盛宴，而旁边还有一个前来观看比赛的游客摆弄着她的钱包、手机和羽毛帽，大可不必感到惊讶。

"我不是那种走到哪儿拍到哪儿的摄影师，"亚瑟说，"但我要讲的故事当中有一个我，她想去……感受这座城市，并赋予它一种空间感。我拍摄的街头照片把其他所有照片都联系在了一起，给你一种氛围，一种外来者面对这个地方的感觉。在这里，人们活在自己生活方式的小泡泡里，几乎不与其他阶层和民族的人交流。"

亚瑟的故事开始于 1961 年，当时一艘往来印度和波斯湾的客船在迪拜沉没，238 人丧命。当年这座城市的人口只有 9 万，而如今它有 200 多万居民，其中很多人是被赚快钱的前景、室内滑雪场和耸入云端的空调之家诱惑来的。捕捉这座城市的难解之谜，它的文化冲突，以及它的过度奢华，对任何摄影师而言都是一大挑战。

"在迪拜，我是个彻底的外来者，但摄影的本质特征之一就是学会应对不同的世界和文化。那里的归属感并不强，很少有人持阿联酋护照，也很少有人把那里称为家，但它的确是一座独特的城市，尽管这种疏离感遍地都是。"

奥利维亚·亚瑟 古尔邦节扛着羊去屠宰场献祭的穆斯林，迪拜，阿拉伯联合酋长国，2013

第 52 页：**奥利维亚·亚瑟** 一名工人的双重曝光像，迪拜，阿拉伯联合酋长国，2014（局部）

奥利维亚·亚瑟 迪拜赛马世界杯观众，迪拜，阿拉伯联合酋长国，2014

奥利维亚·亚瑟　工人在清理哈利法塔（Burj Khalifa）
前的迪拜喷泉池，迪拜，阿拉伯联合酋长国，2013

奥利维亚·亚瑟　朱美拉海滩（Jumeirah Beach）上埋
在沙里的男人，迪拜，阿拉伯联合酋长国，2013

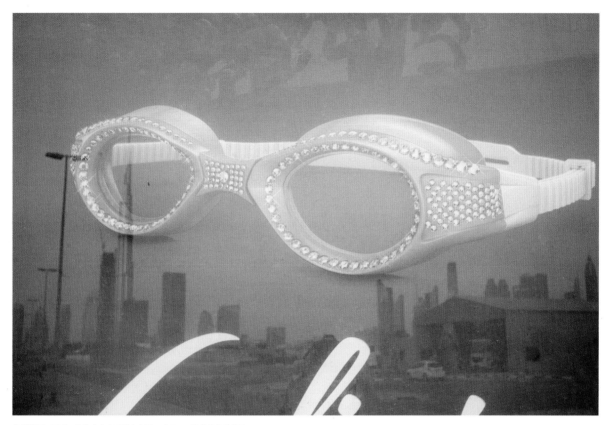

奥利维亚·亚瑟　宣传水上公园的广告牌，迪拜，阿拉伯联合酋长国，2013

"我要讲的故事当中有一个我，她想去……
感受这座城市，并赋予它一种空间感。"

——奥利维亚·亚瑟

"摄影师的本质特征之一就是学会
应对不同的世界和文化。"

——奥利维亚 · 亚瑟

奥利维亚·亚瑟 在迪拜郊外建筑工地上指挥交通的假人，阿拉伯联合酋长国，2013

BRUNO BARBEY

布鲁诺·巴贝

布鲁诺·巴贝第一次接触中国是在 1973 年，当时他应邀参与法兰西共和国总统乔治·蓬皮杜对中国的正式访问。

那时，中国正处于"文化大革命"时期，口号响亮，红旗飘飘，似乎每个人都有一辆自行车，一本小红书。从那时起，拍摄中国及其发展的过程，便成为巴贝终生的爱好。

"在 1973 年，"摄影师解释说，"我对中国没有任何先入为主的概念，除了听说过他们的'文化大革命'，因为我在巴黎拍摄过 1968 年 5 月的学生运动。我去法国文献馆稍微了解了一下中国这个国家。我当时抱着迎接惊奇和新发现的心态。"

巴贝回忆说："1980 年那次旅行，我跟中国人民有了更多的接触和交流。2010 年和之后再回去，我发现他们的态度完全改变了：他们总是很友好，面带微笑，甚至因为我在拍他们而兴奋不已。"

随着中国作为经济大国崛起，它对消费主义的容忍度大幅提高。过去几十年，中国的大街小巷发生了很大的变化——这一点从巴贝的照片可以清楚看到。"翻看我在 1973 年、1980 年和 2000 年之后拍的照片，最明显的是，自行车已经被汽车取代了。老式的里弄和胡同也已经消失，取而代之的是高楼大厦、地铁站和购物商场。在现代中国的街道上拍摄，我会把自己融入人群中。我很少待在原地不动；我到处走，总在不停移动。也许这也可以避免人们注意到我的相机。好在中国人似乎已经对拿着相机的外国摄影师司空见惯了。现在中国有很多业余爱好者和专业摄影师，他们带着摄影器材到处走，人们已经习惯了。"

巴贝对中国的频繁回访，表明他记录下了我们这个时代最显著的国家变革——尤其在几本中文摄影书中，包括《中国的颜色》（2019）一书。"吸引我的是那些年轻人，"巴贝说，"他们已经开始说英语了；一些甚至是从法国留学回去的。中国这个国家太大了，我每次回去都会发现一些以前没去过的地区、省份和城市。"

61

布鲁诺·巴贝　一对年轻人站在无痛人流广告前，昆明，中国，2013

第 60 页：**布鲁诺·巴贝**　南京路上的橱窗，上海，中国，1980（局部）

布鲁诺·巴贝　中央电视台总部大楼，
北京，中国，2017

布鲁诺·巴贝　香港，中国，2016

第 64—65 页：**布鲁诺·巴贝**　车夫在自己的人力车上休息，澳门，中国，1987

"我很少待在原地不动；我到处走，
总在不停移动。"

——布鲁诺·巴贝

布鲁诺·巴贝　工人在安装展示南京路夜景的广告牌，上海，中国，2010
对页，上：**布鲁诺·巴贝**　苏州河与黄浦江交汇处的外白渡桥，上海，中国，2010
对页，下：**布鲁诺·巴贝**　青岛，山东，中国，2015

"我对中国没有任何先入为主的概念……我当时抱着迎接惊奇和新发现的心态。"

——布鲁诺·巴贝

JONAS BENDIKSEN

乔纳斯·本迪克森

挪威摄影师乔纳斯·本迪克森的摄影生涯从在玛格南伦敦办事处当实习生开始，他当时才 19 岁，后来于 2004 年正式成为玛格南成员。

本迪克森多次获得"年度世界新闻摄影奖"（World Press Photo and Pictures of the Year），作品广泛发表于《GEO》《星期日泰晤士报》和《国家地理》。

本迪克森最早的两本书——《卫星》（Satellites，2006），一次宏大的苏联遗迹之旅；以及《我们生活的地方》（The Places We Live，2008），讲述在第三世界贫民窟中幸存并成长起来的家庭的故事——充满了观察细致的具有人文关怀的照片。"我是一个相当简单的摄影师，"本迪克森说，"我不会搞花里胡哨的东西。每次上街，我都尽量把所有想法抛到脑后，等坐在桌子前再去想。我拍照时会尽量让自己反应更敏捷一些，更多地依靠直觉和本能。"

2013 年，波士顿咨询公司的一项任务把本迪克森带到了伊斯坦布尔和斯德哥尔摩，在那里他可以随心所欲地拍摄城市发展以及为城市未来做准备等主题。特别是在伊斯坦布尔，本迪克森让自己向新的体验敞开："东西文化交融这一套陈词滥调在伊斯坦布尔是真实存在的。它的层次如此丰富；在旧有的

基础上又有许许多多新东西……真的很丰富……而且这座城市的地理环境也很棒。到处都是丘陵，有水，有桥——随便走走都很有意思。所以如果你想要寻找当代与传统的交汇点，伊斯坦布尔是最合适的地方……你直接就能看到。"

这次委托拍摄让本迪克森得以尝试各种拍摄策略来拍出形式优美的照片。"有时候，"摄影师说，"事物的排列方式会有点儿戏剧化——一个看起来充满感情的瞬间，各种元素被简化成某种清晰的东西。拍摄前我会想很多关于拍摄方法的问题。这种思考让你摆正心态，但最终的拍摄过程是相当依赖直觉的。"

在寒冷的斯德哥尔摩，最大的挑战就是呈现出这座城市如何与一个绿色发展计划共同演进。"我总是为那种人类社区与自然环境、社会变革或者某种压力相互作用的故事所吸引，"本迪克森说，"斯德哥尔摩有很多绿化景观。这是一座绿色之城，我对这一环境与城市本身的互动、城市的功能以及如何创造一个宜居城市这些问题很感兴趣。"

乔纳斯·本迪克森　索尔纳（Solna）地铁站，斯德哥尔摩，瑞典，2013

乔纳斯·本迪克森　从地铁车窗看通勤族，伊斯坦布尔，土耳其，2013

"每次上街，我都尽量把所有想法抛到脑后。"

——乔纳斯·本迪克森

乔纳斯·本迪克森　伊斯蒂尼公园
（Istinye Park）购物中心外，伊斯坦布
尔，土耳其，2013

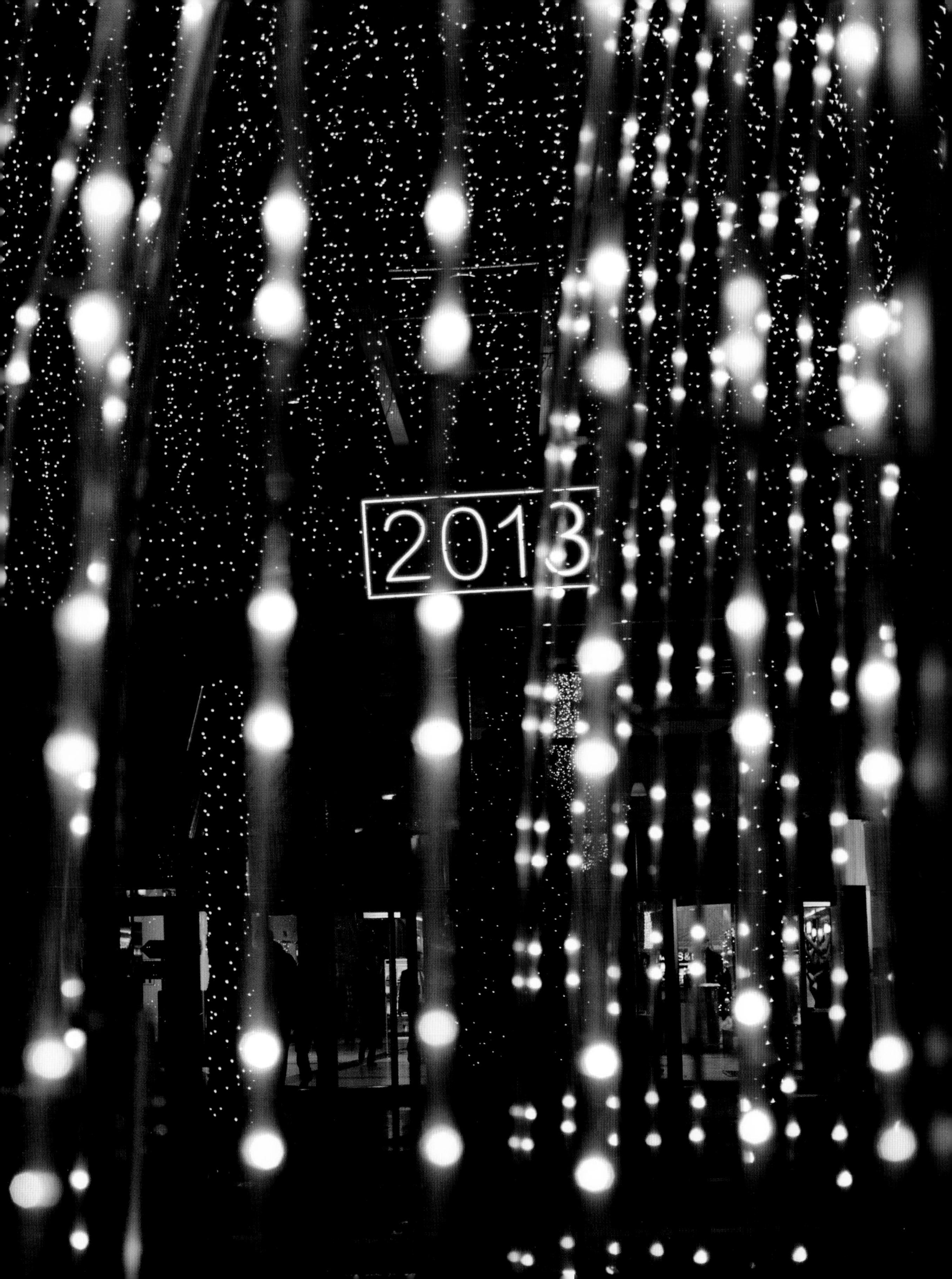
2013

乔纳斯·本迪克森　社区建筑设备商店外的交通标志牌，伊斯坦布尔，土耳其，2013

IAN BERRY

伊恩·贝里

作为自由摄影记者在南非崭露头角后，伊恩·贝里——他是唯一一个记录了 1960 年沙佩维尔屠杀的摄影师——1962 年在亨利·卡蒂埃－布列松的亲自邀请下加入玛格南，成为当时最年轻的成员。

经过几十年时间，用旧了几本护照后，贝里如今是玛格南最年长的成员，但他仍然热切渴望那种把他带到世界最偏远角落的拍摄任务。

"我跟两个对我影响最大的人——卡蒂埃－布列松和马克·吕布（Marc Riboud）——在 20 世纪 60 年代没完没了谈论的那种摄影，至今仍是我最感兴趣的，"贝里解释说，"我对人感兴趣，对人与他们所处环境的关系感兴趣，无论是他们生活的城市，还是他们周围的政治环境。像亨利和马克一样，我也希望我的照片有内容、有形式。当亨利说他一年能拍一张好照片就很开心时，我暗自窃笑，但后来我发现他是对的。我们每年可以拍许多不错的照片，但一年拍到一张'伟大'的照片，已经是我们所能指望的最好的情况了。"

1972 年，贝里受伦敦东区白教堂画廊（Whitechapel Gallery）委托，花了几周时间在当地拍摄。由于移民人数增加，当地迅速从一个犹太人聚居的街区变得各民族混杂。"我很幸运，"贝里回忆说，"因为这是白教堂举办的第一个摄影展。画廊一直很受西区欢迎，但当地人却不怎么熟悉，所以他们认为办一次摄影展或许可以改变这种情况。他们让我去附近的医院、清真寺、酒吧和工厂，拍那些普通的工人阶层。我行动完全自由，而且去当地医院时，主管医生给了我一件白大褂和一个听诊器，这样我就不用到处要求通行许可了。现在可不是这样咯！"

最终的展览"这就是白教堂"（This is Whitechapel）成为英国摄影的里程碑，让我们看到观众对表现普通人竭力维持生活的照片是感兴趣的。贝里对那段历史的记录，呈现了许多不屈不挠的东区人——既有长住居民也有刚来不久的，在艰难的贫困处境下，他们努力保持着自己的尊严和幽默感。在一张出色的照片中，贝里的镜头让我们近距离看到了一位父亲，他正护送衣着优雅的小女儿走在街上，胸前抱着一只小猫。也许小猫是他从附近红砖巷的市场买来送给女儿的礼物，但父女俩都没有透露实情。

"现在我没办法那样拍照了，"贝里说，"比如说，现在你不能在街上拍小孩子，这很可惜。再就是，拍之前你得先征求人家同意，这对摄影来说是死路一条，因为那样人们就开始摆姿势了，看上去一点都不自然。现在我很喜欢去中国拍，因为中国人对我这种手拿相机的老头很尊重。但基本上我还是会出去拍，尽量不惹麻烦就是了。我可能是玛格南最老的成员了，但这个团体仍有很多年轻人才，比如乔纳斯·本迪克森和亚历克斯·马约利（Alex Majoli），他们的工作精神与态度跟我们在 20 世纪 60 年代是一样的。"

伊恩·贝里　拒绝被拍照的男
人，红砖巷，伦敦，英格兰，英
国，2011

第76页：**伊恩·贝里**　德国国
会大厦外的热狗摊，柏林，德
国，2000

伊恩·贝里　小市场外，白教堂，伦敦，英格兰，英国，1972

伊恩·贝里　杂货店老板从他的商店橱窗往外看，白教堂，伦敦，英格兰，英国，1972

伊恩·贝里 带着女儿和小猫的男人，
白教堂，伦敦，英格兰，英国，1972

DAYS
OFF
休息日

写这本书时，有几位玛格南摄影师问我这个问题：为什么街头照片一定得在街上拍？

如果说在公共场合拍摄的快照就是我们所说的街头摄影，那为什么要局限于沥青和水泥的世界呢？根据这个更宽泛的定义，我们值得研究一下玛格南摄影师在海滩、购物中心、动物园或者随便哪个我们地球同胞会去的地方拍摄的作品。

1974 年，泰晤士和哈德森出版社，也就是本书的出版方，发行了英国摄影师托尼·雷－琼斯（Tony Ray-Jones）的摄影书《休息日》（*A Day Off*）——那时摄影师已经去世两年了。雷－琼斯这本书现在被视为经典，是最早关注人们如何打发闲暇时间的作品之一。这位摄影师的观点是，通过观察人们不工作时做的事，就可以了解一种文化——就这本书而言，英国文化。在这本书中，通过一系列未经摆拍和预演的快照作品，我们看到了选美比赛、具有异域风情的当地传统、街头游行、运动赛事等等英国人享受假期的方式。

马丁·帕尔受雷－琼斯影响很大，他在职业生涯早期就意识到，工业化社会蓬勃发展的休闲娱乐经济将成为他批判性目光的沃土。加入玛格南后不久，他开始着手一个重要项目，最终出版了一本摄影书《小世界》（*Small World*, 1995），这是一次对全球观光旅游业的幽默又讽刺的审视。正如他接受《纽约客》采访时所说："观光旅游业是当今全球最大的产业。我对这些地方的神话与现实之间的矛盾这个大难题很感兴趣。如果你想拍人，没有比旅游景点更好的地方了。你只要把蜂蜜罐（honey pot，此处是以"蜂蜜罐"比喻诱饵。——编者注）放在他们面前，就可以开始工作了。"

在帕尔拍的一张照片中，高山滑雪场上一对父子正从明信片展示区经过，明信片上是熟悉的阿尔卑斯山风景。这种画面带来的视觉与认知的脱节，贯穿了整本《小世界》。帕尔这本书中的照片，无论是在埃及的沙漠上，在威尼斯的运河上，还是在类似的旅游"蜂蜜罐"拍摄中，都包含了许多这样的场景，其中摄影一方面作为一种表达形式，一方面作为提供给游客的廉价商品，两者的关系被发掘出了一种绝佳的喜剧效果。

跟他的大多数澳大利亚同胞一样，特伦特·帕克从小在海边长大，并且沉浸于这个国家的冲浪文化。他与同是摄影师的妻子纳尔勒·奥迪欧（Narelle Autio）共同创作了《第七波》（*Seventh Wave*, 2000）一书。拍摄过程中，为了捕捉活动中的游泳者和冲浪者，他下决心买了一台便宜的水下摄影机。"所有照片都是在瞬间拍下的，"帕克解释说，"某种意义上，这些基本就是快照。甚至没人知道我们在那里，因为他们都在奋力游泳和冲浪，与海浪搏斗。我们也不知道自己到底拍到了些什么，因为几乎不可能进行取景。我们把相机推出手臂的长度，拍下一帧——如果能够保持这个姿势久一点就拍两帧——然后就被海的力量掀个脚朝天。"

如果街头摄影的根基在于即兴创作和不露声色地记录人们在公共场合的状态，那么《第七波》——尽管它在水下拍摄——算得上一部典范之作。在帕克和奥迪欧那些动感又梦幻的画面中，我们看到了澳大利亚海滩生活的写照，它传达的不仅是这个国家的某种民族身份特征，也包含人类与自然世界的关系的普世意义。

一旦从累人的工作和家庭生活束缚中解脱出来，人类就是天生的爱玩动物，本书介绍的摄影师也不例外。无论是与热情活跃的夜店玩家友好相处的埃里克·索斯（Alec Soth），还是同一群半裸的俄罗斯人一起围观室外象棋比赛的彼得·马洛，玛格南摄影师从来不会错过即将发生的趣事、输赢未定的比赛和即将奏响的音乐。街头摄影最具代表性的照片向我们展示的，可能是粗粝的人行道戏剧，都市背景的快动作拍摄，所有近身接触、倏忽即逝的画面，但可以用来拍摄人类境况方方面面的快照的范围是无限的。在接下来的篇幅中，我们将看到这种超出街头范围的最佳案例。

丹尼斯·斯托克（Dennis Stock） 抱着冲浪板的人，海洋王冠社区（Corona del Mar），加利福尼亚州，美国，1968
第82页：马丁·帕尔 小夏戴克（Kleine Scheidegg），瑞士，1994（局部）
第84—85页：乔纳斯·本迪克森 苏呼姆（Sukhum）的当地人和游客在享受黑海的温暖海水，阿布哈兹，格鲁吉亚，2005

玛蒂娜·弗兰克 普里，奥里萨邦，印度，2004

菲利普·琼斯·格里菲斯　孩子们在荒地上玩耍，米德尔斯堡，英格兰，英国，1976
对页：**苏拉伯·胡拉**（Sohrab Hura）　霍利节，沃林达文（Vrindavan），印度，2007

保罗·佩勒格林（Paolo Pellegrin） 孩子们在打排球，中哈瓦那区（Centro Habana），哈瓦那，古巴，2011

第 90—91 页：**特伦特·帕克** 邦迪海滩（Bondi Beach），悉尼，新南威尔士，澳大利亚，2000

"可以用来拍摄人类境况方方面面的快照
的范围是无限的。"

彼得·马洛 在沙滩上玩国际象棋，
索契，苏联，1981

保罗·佩勒格林 夜晚的海滩，特拉维夫 – 雅法，以色列，2005

"为什么要局限于沥青和水泥的世界呢？"

戴维·赫恩　在滕比（Tenby）海滨散步，威尔士，英国，1974

第 94—95 页：**勒内·布里**　科帕卡瓦纳海滩，里约热内卢，巴西，1958

埃里克·索斯　奥林匹克跳台滑雪场，普莱西德湖（Lake Placid），美国，2012

埃里克·索斯　疯狂腿沙龙（Crazy Legs Saloon），沃特敦，纽约州，美国，2012

第 98—99 页：斯图尔特·富兰克林　莫斯赛德（Moss Side）住宅区，曼彻斯特，英格兰，英国，1986

对页：彼得·马洛　在洛克西俱乐部（Roxy Club）亚当和蚂蚁乐队（Adam and the Ants）演出现场的朋克青年，伦敦，英格兰，英国，1978

克里斯蒂娜·加西亚·罗德罗　复活节，西西里，意大利，1996

"一旦从累人的工作……中解脱出来，人类就是
天生的爱玩动物。"

埃里克·索斯 复古日上的南佐治亚州县界踢踏舞者（South Georgia County Line Cloggers），威拉库奇（Willacoochee），佐治亚州，美国，2014

久保田博二（Hiroji Kubota） 加勒比节，布鲁克林，纽约，纽约州，美国，1989
对页：**戴维·阿伦·哈维**（David Alan Harvey） 智利，1987

他们如何拍摄

NEW YORK

纽约

1950 年，出生并成长于布朗克斯的丹尼斯·斯托克拍下了一群不知名姓的纽约人在夜间与暴风雪搏斗的画面，几十年过去了，即使经过最近几个恶劣的冬季，现在的纽约人肯定还能认出这张标志性照片。

极地风袭来，我紧紧裹住大衣，仍在思考这个问题：斯托克到底是在曼哈顿哪里找到那么强烈的光线，使他那图腾般的照片闪着电影一样的光泽？

著名作家兼活动家简·雅各布斯（Jane Jacobs）在《美国大城市的死与生》（The Death and Life of Great American Cities，1961）一书中，对纽约的"人行道芭蕾"（sidewalk ballet，指城市里"互相关联的人行道用途"，人们可以在人行道上进行"即兴表演"，表现自己的独特风格。——编者注）赞叹不已，在她看来，这将纽约变成了生机勃勃的多样公共空间。她还鼓励人们进行观察，成为"街道守望者"[eyes on the street，又称自然监控策略（natural surveillance strategy），指当城市空间足够宽敞明亮时，在其中活动的人们能观察周围正在发生的事。——译者注]，以保障公共安全和城市文明。她赞赏纽约的褐石屋和公寓，它们为家庭和人群提供了欢乐温馨的住处。街头摄影师们自然而然在纽约找到了自己的空间，搜寻人行道上的微观剧场，让哈勒姆区、下东区、切尔西区、皇后区和布鲁克林区这些街区为纽约人和无数外国人所熟悉。

伊芙·阿诺德（Eve Arnold），玛格南第一位女性成员，与纽约结下了深厚的情谊。她出生于费城，二战后移居纽约，先是在一家照片加工厂工作，后来到进步的新社会研究学院（New School for Social Research）学习摄影。尽管身材娇小，阿诺德的无畏和恒心却是出了名的。她最早的作品拍摄哈勒姆区时尚，拍摄黑人女性在餐厅和教堂大厅里像模特儿一样展示自制的帽子和裙子。回到 1950 年，大都会歌剧院的上流社会中也能找到她的身影。她在那里拍摄了一个身着华服的音乐会观众，而装饰精美的豪华轿车正在等候着。等胖女士唱完歌后，也许她就会坐车回到上东区。

20 世纪中期，当新一代爵士偶像风靡横扫俱乐部现场，索尔·莱特（Saul Leiter）、乔·迈耶罗维茨和海伦·莱维特（Helen Levitt）等摄影天才也在纽约即兴创作，创造出将会定义一个时代的视觉连缀段。几年后，玛格南摄影师伦纳德·弗里德和托马斯·霍普克（Thomas Hoepker）也在努力将自己的家乡变成一个人文主义报道中心。1947 年在现代艺术博物馆

（MoMA）举办第一次展览后，亨利·卡蒂埃－布列松又多次走访纽约，在哈勒姆区和在曼哈顿下城一样自得其乐。今天的纽约人不再热衷精致的女帽设计，转而选择廉价的棒球帽，但卡蒂埃－布列松和霍普克都对 20 世纪 60 年代风行一时的精美头饰表现出浓厚的兴趣。

和许多美国城市一样，纽约在 20 世纪 70 年代也在挣扎。基础设施崩坏，许多有钱人撤退到郊区生活，这让辛纳屈对这座不眠之城的赞美诗听起来充满了自我辩护和夸夸其谈。埃里·里德和雷蒙·德帕东加入他们的玛格南同事布鲁斯·吉尔登的行列，在更显脏乱的纽约街道上挖掘粗砺真实的故事和场景。1981 年冬天，来自法国的德帕东在一种疏离而焦躁的状态下走遍这座城市，用 21 毫米镜头记录了那些对他的存在近乎无动于衷的人行道居民。而在这几年前，包厘街上，出生于纽约的苏珊·梅塞拉斯（Susan Meiselas）在跟拍一群打扮成圣诞老人过节的无家可归者（我们在本书后面将会看到）。派对或许在上城的 54 俱乐部（Studio 54）举行，下城的街头则更加野性，废弃汽车和建筑工地变成游乐场，也变成拍照点。

这一时期的经典摄影集，如吉尔登的《面对纽约》（Facing New York，1992）和布鲁斯·戴维森的《地铁》，表明玛格南摄影师受惠于这座城市饱经风霜的街道，展现了一座不羁而神气依旧的大都市。2013 年，曾任玛格南主席的霍普克出版了《纽约》（New York）一书，用历时 40 年的拍摄向纽约从华丽舞台变成破败外景，再回归超级明星地位的剧变致敬。影集里有两幅关键照片，时隔近 20 年两次记录了同一座纽约建筑地标。1983 年，霍普克从哈德森河对岸的新泽西眺望，拍下了夕阳下闪耀着金色光芒的双子塔，还有两对恋人在一辆肌肉车旁嬉戏。2001 年那次，霍普克从布鲁克林河畔再次记录了双子塔光芒闪耀的样子，只不过这次是因为恐怖暴行（指"9·11 事件"。——编者注）。

在简·雅各布斯的纽约，"街道守望者"——她的城市守护人——是由好管闲事的停车者和警惕的老人组成。但过去 70 多年来，街头摄影师也在观察，而且是艺术式地观察。比起在伦敦、巴黎和东京，拍摄纽约给这些街头人物带来的回报

伊芙·阿诺德　大都会歌剧院外，纽约，纽约州，美国，1950。
第 106 页：丹尼斯·斯托克　纽约，纽约州，美国，1950。

更多，他们很多都是玛格南成员，知道如何拍出一张标志性照片，并让它保持新鲜感。詹姆斯·墨菲（James Murphy），液晶大喇叭乐队（LCD Soundsystem）的创始人兼主唱，在 2007 年曾感叹，现在的纽约虽然更安全，但简直浪费生命。如今这

个时代充斥着下东区高级酒店和布鲁克林轻奢卧室，对那些想在街头寻找刺激的摄影师来说，这确实是个棘手的视觉挑战。但本质上，纽约仍是一场视觉和感官的狂欢，去过那里的人都知道这点，摄影师们更是如此。

托马斯·霍普克　第五大道上复活节游行的节日礼帽，纽约，纽约州，美国，1960

第 110—111 页：**费迪南多·希安纳**（Ferdinando Scianna）　布鲁克林，纽约，纽约州，美国，1985

上：**亨利·卡蒂埃－布列松**　复活节，哈勒姆区，纽约，纽约州，美国，1947

下：**亨利·卡蒂埃－布列松**　曼哈顿，纽约，纽约州，美国，1961

埃里·里德　孩子们在一辆报废的汽车上玩耍，哈勒姆区，纽约，纽约州，美国，1986

"纽约仍是一场视觉和感官的狂欢，
去过那里的人都知道这点。"

雷蒙·德帕东　东区，32 街，纽约，纽约州，美国，1981

第 116—117 页：托马斯·霍普克　从"情人路"看曼哈顿下城，新泽西，美国，1983

HENRI CARTIER-BRESSON

亨利·卡蒂埃-布列松

作为一个一向深知人生无常的人——这实际上是他的灵感源泉——这经历看起来挺配他的：因为一个身负重任者的犯罪行为，亨利·卡蒂埃－布列松被困墨西哥，身无分文，不会讲西班牙语，只能靠相机表达自己。

1934 年，卡蒂埃－布列松的摄影生涯还没起步。前一年，他在西班牙拍摄了一些冲动而大胆的照片，表明这是一个深受超现实主义影响的年轻艺术家，才刚刚开始用徕卡相机进行手持相机快拍。墨西哥之行是他第一次前往美洲，早熟的天赋跃跃欲试，想在第一批作品中展露身手。

1934 年初，卡蒂埃－布列松作为一个法国学术团队的一员来到墨西哥城，此行目的是调查泛美公路的建设情况。然而一天早晨，项目领队带着团队资金消失了，留下他们，既没钱也没地方住。但卡蒂埃－布列松没有灰溜溜地回家，而是决定利用这次被迫流亡拍摄墨西哥城尘土飞扬、饱受日晒的街区。尽管当时一文不名，身处贫民窟，还得和别人共用一间肮脏简陋的小屋，这位法国年轻人却觉得，正是时候让自己的摄影更上一层楼。

几个月的时间内，卡蒂埃－布列松每天在墨西哥城陌生的街区游荡，手里拿着一部徕卡相机。当地人给他起了个绰号，叫"虾脸的小个子白人"，至于他喜不喜欢这个外号就不得而知了。一向善于随机应变的他，也开始为当地报社工作，挣点小钱。但空余时间他都用来拍照，拍光线刺眼的街景，学习怎么在强光下拍摄，并试验他在立体派画家安德烈·洛特（André Lhote）指导下学来的构图方法。

卡蒂埃－布列松早期的一则格言——"你前 10,000 张照片是你最差劲的作品"——对我们这些努力要将基本技能转化成更成熟作品的人，似乎挺有意义。但这个法国人在墨西哥城那段时间的"战利品"表明了另一种可能：一个充满渴望和动力、受过艺术教育的年轻人所拍的第一批照片，可能才是他最好的照片——每一帧里都见不到后来那种对自我重复的担忧。在这里，我们看到了一个刚崭露头角的超现实主义者（而他很快就会变成禅宗佛教徒和存在主义者），不仅对墨西哥城遍地的普通人性进行回应，也回应了一种正在慢慢潜入这个贫穷而不公的社会的死亡感。披巾变成裹尸布，鞋子像断肢，沉睡中的乞丐则是凄惨的尸体。

"如果我去一个地方，"卡蒂埃－布列松曾说，"那么我并不只是去记录正在发生的事，而是努力拍出一张照片，使一瞥间的情景具像化，并具有坚实的形状联系。而我每去一个国家，总希望能拍出这样一张照片，人们看了会说：'啊，就是这样，你感受到了。'"在这次意义深远的学习经历之后仅两年，卡蒂埃－布列松就在纽约展出了他的墨西哥城作品，踏上了使他成为这个时代最伟大摄影师之一的道路。

亨利·卡蒂埃－布列松　墨西哥，1934

第 118 页：**亨利·卡蒂埃－布列松**　妓女，夸赫特姆克津街（Calle Cuauhtemoctzin），墨西哥城，墨西哥，1934

对页：**亨利·卡蒂埃－布列松**　墨西哥城，墨西哥，1963

"如果我去一个地方，那么我并不只是去记录正在发生的事。"

——亨利·卡蒂埃-布列松

亨利·卡蒂埃-布列松　普埃布拉（Puebla），墨西哥，1963

第 122—123 页：**亨利·卡蒂埃-布列松**　瓦哈卡（Oaxaca），墨西哥，1963

对页：**亨利·卡蒂埃-布列松**　帕兹夸罗（Pátzcuaro），墨西哥，1963

BRUCE DAVIDSON

布鲁斯·戴维森

相机很早就进入了布鲁斯·戴维森的世界，一直到今天都是他生命中不可或缺的一部分。

1943 年，戴维森才十岁时，他母亲允许他在自家地下室布置一间暗房，从那时候起他就开始拍照。离开中学后，他在芝加哥一家相机店工作，后来到大学里学摄影，毕业后成为一名摄影师，1958 年在卡蒂埃－布列松的建议下加入玛格南。

从此，他开始了一系列关注社会的个人项目。这些项目，无论从范围上还是执行力度上来说都具有开创性。除了报道 20 世纪 60 年代的民权运动、跟少年帮派四处闲逛、记录纽约的种族贫困问题之外，戴维森还为《时尚》杂志拍摄时尚大片，为好莱坞制片厂拍摄电影明星，在欧洲进行新闻报道。然而，那些更为光鲜亮丽的工作马上就要到头了。"我一从亚拉巴马州伯明翰的示威游行现场回来，"戴维森说，"就意识到我正在见证贫穷和压迫，随后就放弃了时尚摄影。"

在 1965 年的一趟威尔士之行中，戴维森拍摄了一组抒情作品，其中的一部分展示在这里。在南威尔士的山谷和矿业小镇上，戴维森选择用彩色拍摄。谢天谢地，他进行了这颇有创造性的一跃，因为他眼前这个富有的工人阶级社会景观已经做好准备，难得地洗净了弥漫的烟灰。他在人行道上拍摄的人像，有一种纯真而整洁的感觉，但从掳掠资源的矿井拉出来的、自浓烟滚滚的高塔喷出来的煤矿废料，总在视线不远处。

"威尔士之行是我第一次在国外拍彩色照片，"戴维森回忆说，"我认为色彩能够传达出一种意义的维度。去那之前，我跟著名的威尔士摄影记者菲利普·琼斯·格里菲斯取得了联系。菲利普给了我一个诗人的名字，霍拉斯·琼斯（Horace Jones）。通过他的引见，我见到了一些权利遭受剥夺的矿工，他们马上就要失去生计了。霍拉斯以前也是矿工，他认识这些矿工，自己还是个相当不错的诗人。他打开门，为我们做介绍，让我得到了这些人的信任。"

在巴黎的亨利·卡蒂埃－布列松基金会举办回顾展时，戴维森费尽心思提醒观众，摄影是一种媒介，他在其中倾注了自己的人道主义伦理，他不是一个客观公正的观察者。"我不认为自己是个纪实摄影师，"他说，"'纪实摄影师'意味着，你只是站在后面，不在照片中，你仅仅在记录。但我在照片中，相信我。我在照片中，但我不是照片本身。"

当被问及为什么相机是他拥有的最重要的物品或者说工具时，戴维森回答道：

"因为别的东西我都不懂。相机就在那里，准备好了……但我也得集中精神并做好准备。你只需要到外面去拍照就可以了！"

布鲁斯·戴维森　威尔士，英国，1965

第 126 页：**布鲁斯·戴维森**　东 100 街，纽约，纽约州，美国，1966（局部）

布鲁斯·戴维森　威尔士，英国，1965

布鲁斯·戴维森　威尔士，英国，1965
对页：**布鲁斯·戴维森**　芝加哥，伊利诺伊州，美国，1989
第132—133页：**布鲁斯·戴维森**　洛杉矶，加利福尼亚州，美国，1966

"我在照片中，相信我。我在照片中，
但我不是照片本身。"

——布鲁斯·戴维森

CARL DE KEYZER

卡尔·德·凯泽

跟随玛格南同事久保田博二和马丁·帕尔的脚步，几年前卡尔·德·凯泽就决定去朝鲜走走，亲自看看这个国家是怎么保持"与世隔绝"的。

马丁·帕尔曾经警告德·凯泽，在朝鲜拍摄会受到一定限制。但这个比利时人就喜欢和尚修行般的长期项目拍摄工作，他下定决心找出是什么让朝鲜这个国家在西方人看来那么封闭。

"这对我来说很冒险，无论在经济上还是摄影上，"德·凯泽说，"我知道，要拍到足够出一本书和办一次展览的照片，差不多要跑四趟（每趟）为期两周的旅行，而在朝鲜又很难不受限制地拍摄，我不得不向一家旅行社支付 40,000 美元，但他们也不能保证我可以拍摄到朝鲜的日常生活。"

除了花销大，德·凯泽还得服从朝鲜政府的一大堆限制。"禁止拍摄村庄，禁止拍摄军人，不得与普通民众交谈，未经本人允许不得拍摄他们。到了四趟旅行快结束的时候，我必须把拍摄的所有照片送到首都平壤，由某个委员会决定哪些照片可以获得批准，哪些不能。"

如何在不允许拍摄普通市民的情况下随心进行快拍，这是个很棘手的难题——尤其当你是那里唯一的非朝鲜人，而且是唯一一个拿相机的人的时候。

"我看到了许多精彩场景，很想拍下来，但受到阻拦，"德·凯泽说，"政府建议我去参观 250 个官方指定地点——博物馆、公园、体育馆等等之类的。我说这些地方我都想去参观，因为那样我的机会就更多。我知道这些地方肯定都非常无聊，只能拍到宣传性质的照片，但每次往返途中，说不定会有拍摄日常生活的机会。"

德·凯泽发现，这个东道主给他的限制其实很适合他。"跟其他街头摄影师一样，我喜欢现实，从不摆拍。但我也很喜欢自己被环境和事件高度限制的时刻……限制意味着我将拍到别人拍不到的照片……在这几次旅行中，我拍每张照片时都不去想太多，每天拍一张或两张，慢慢地，就发现越来越像样子了。"

尽管这样一个社会有一种内在的陌生感，在德·凯泽的照片中，我们还是能看到一些任何人都会有共鸣的场景。一个男人跟他的儿子在避雨棚下等待着，打发时间，享受彼此的陪伴。看到这样的画面我们肯定会有所触动。

卡尔·德·凯泽 在平壤火车站送别亲友，平壤，朝鲜，2015

第 134 页
上：**卡尔·德·凯泽** 平壤动物园入口，平壤，朝鲜，2015
下：**卡尔·德·凯泽** 平壤，朝鲜，2015

卡尔·德·凯泽　乘缆车上长白山顶，两江道，朝鲜，2015

卡尔·德·凯泽 朝鲜妇女联盟成员挥舞国旗鼓舞早上的通勤族，平壤，朝鲜，2015

"限制意味着我将拍到别人拍不到的照片……在这几次旅行中，我拍每张照片时都不去想太多。"

——卡尔·德·凯泽

RAYMOND DEPARDON

雷蒙·德帕东

法国的知识分子和艺术家，长期以来对美国颇有微词。

法国知识阶层认为，美国崇尚庸俗，沉迷于不义之财，像一头文化巨兽将其他文化一扫而尽。作为罗兰·巴特和其他类似的法兰西思想家的忠实读者，雷蒙·德帕东也持相同看法。直到他第一次去纽约旅行，他对美国的看法才变得更加复杂入微。

那是1980年的严冬，德帕东来到纽约，不会说英语，也不认识任何人。他决定用相机来了解这座城市，这里的文化，这里的人。一开始，他无法和别人建立直接的联系——部分由于他自己的内向，部分因为纽约人让人透心凉的冷漠，这令他信心动摇。"我的恐惧一直在，"他回忆说，"它怎么可能消失呢？毕竟我都没有跟别人说话。我身处全世界最包容的城市，却还是害怕拍照。万一我撞见了一位玛格南著名摄影师，我肯定会把相机藏起来，希望避开任何问题……我走得很快，与人擦肩而过却没有注意到他们。我要求自己不能把相机举到脸的高度，只让它悬在胸前。"

尽管算不上十足的草率，德帕东还是相信广角镜头、时机的把握以及集中饱满的精力，能够让他在近距离跟纽约市民友好相处。然而一开始，德帕东对结果并不满意："我没有跟任何人说起这些照片，一个月后我才鼓起勇气把照片冲洗出来。第一眼看到这些照片时，我很讨厌它们……整整27年我没再想起这些……最近再次看到，我发现有趣的是，照片里的大部分人都看向镜头，因此他们是知道有人在拍他们的，而我却以为自己骗过了他们。"

1980年，巴黎《解放报》委托德帕东一项特殊任务：每天给他们发一张纽约照片，并附上说明文字。德帕东决定将照片说明为己所用，记录自己的情绪变化和大苹果城（Big Apple，纽约别称。——译者注）生活印象。其中一则为一张阴沉的雨中曼哈顿照片写的说明，惊动了报纸读者。"我跟女朋友吵架了，"德帕东解释说，"那天刚好下雨，因此我就在说明里写'我不知道我到底在这里干嘛'。《解放报》没有修改，于是读者就看到了这句话。很多人写信来说他们巴不得跟我交换位置。我才意识到我冒犯了纽约的神话地位，但是我也写不出什么更好的了，因为根据常识，一个法国人在这里必须得开开心心的。"

看着德帕东这些拍摄20世纪80年代初纽约寒冬的照片，我们能感觉到这位疏离的摄影师正在努力和匆匆而过的无名面孔建立联系。德帕东报道过1961年的柏林墙、阿尔及利亚内战和越南冲突的爆发，对这样一个老练的专业摄影师来说，无法把相机举到眼前肯定让他感到软弱无力。但事后再看，这是值得的。德帕东的"盲拍"方法，放大了他的不安和孤独，而这就是他在纽约的初次经历。不过后来几年，他又多次回到纽约，拍下了风格更为乐观的纽约照片和影片。

雷蒙·德帕东　曼哈顿，纽约，纽约州，美国，1981

第 142 页：**雷蒙·德帕东**　华尔街，纽约，纽约州，美国，1999

雷蒙·德帕东　曼哈顿，纽约，纽约州，美国，1981

雷蒙·德帕东 曼哈顿，纽约，纽约州，美国，1981

"我没有跟任何人说起这些照片……第一眼看到这些照片时，我很讨厌它们。"

——雷蒙·德帕东

NIKOS ECONOMOPOULOS

尼科斯·伊科诺莫普洛斯

人无法隐藏在自己的相机之后，尼科斯·伊科诺莫普洛斯说。

谈到伊科诺莫普洛斯的个人视觉风格，应该说，他的整体是包含在每个片段中的，随机的、分散的、看不见的、行踪不明的片段，构成了他的作品。无论用高对比的黑白还是用丰富的彩色，无论拍他的家乡还是拍世界上别的地方，他的照片——大都处于转化过渡的中间状态——都在讲述着故事。对他所探索的那些地理区域，他的故事支撑着它们的身份和历史，而且会在这些消失后继续存在。

伊科诺莫普洛斯出生于希腊，1994 年正式成为玛格南成员。他拍摄了饱受战争蹂躏的巴尔干半岛各国之间的剧烈冲突，以及随之而来的许多社会和政治动荡。他深入到熟悉的领域，将人与人之间的紧密联系呈现出来，而这种联系他如今在全世界都发现了。过去十年，他转向彩色摄影，包括拍摄非洲、南美洲和加勒比海地区的项目。他允许自己从不同的角度寻找相同的脉络。他所寻找的，他说，是"一种以出乎意料的方式在几乎不可能的情况下发生的自然情感之流，包括共情和人与人之间的互动。还有环绕着这一切的光"。

在这个过程中，伊科诺莫普洛斯还成为玛格南最受欢迎的老师之一，开设以"在路上"为主题的街头摄影工作坊、影像专家见面会和大师班。本书发布的照片都是他最近的彩色作品，展现了这位摄影师正在世界各地寻找的那些触发乡愁的事物。

"我不制订日程计划，也不遵循特定的常规，"伊科诺莫普洛斯说，"最开始的几天，我会到处走走看看，了解这个地方和它的节奏，不同空间的动态以及其中发生的事情。这让我去观察、吸收并浸入事物之流中。然后事情开始出现，引起共鸣，这又通向一个综合过程。每发现一处吸引我的地方，一个引起我注意的实例，我都会一次又一次地回去。我开始发展出一种联系，我自己跟这些地方、跟生活其中的人的小小的联系。这种联系给我一种进入的感觉，不管它多么短暂易逝。摄影是我的手艺，但要让它实现，我得找到那些能让我有共鸣的东西。那些迷住我眼睛的事物，就是迷住我心灵的事物。

"我所寻找的是一种有效的视觉实例。往往是一个单独的画面，而不是一个故事。无论有什么故事，某种程度上它都必须包含在一个个独立的画面中——不是一组照片，也不是一系列照片，就只是一张照片。然后，或许还有另一张照片。一张照片能装下多少故事，就能引发多少想象。"

尼科斯·伊科诺莫普洛斯　哈瓦那，古巴，2014
第 148 页：尼科斯·伊科诺莫普洛斯　格拉纳达（Granada），尼加拉瓜，2018（局部）

"无论有什么故事，某种程度上它都必
须包含在一个个独立的画面中。"
——尼科斯·伊科诺莫普洛斯

尼科斯·伊科诺莫普洛斯　哈瓦那，古巴，2015

上：尼科斯·伊科诺莫普洛斯　亚的斯亚贝巴（Addis Ababa），埃塞俄比亚，2012
下：尼科斯·伊科诺莫普洛斯　奥莫山谷（Omo Valley），阿尔巴明契（Arba Minch），埃塞俄比亚，2015

尼科斯·伊科诺莫普洛斯　哈瓦那，古巴，2017
第 154—155 页：**尼科斯·伊科诺莫普洛斯**　特立尼达（Trinidad），古巴，2015

ELLIOTT ERWITT

艾略特·厄威特

正如许多好莱坞导演都能证实的，要让观众笑，比让他们哭还难。

引人哈哈大笑或轻声一笑的情绪信号，通常过于复杂，难以通过相机传达出来。然而，有个摄影师恰恰擅长戳中观众的笑点，那就是艾略特·厄威特。他现在年过九十，绝对是街头摄影之王。

几十年的积累下来，厄威特的作品是举世无双的。同样出色的是他从情感上打动观众的能力，以及一种专注——给徕卡相机装上 50 毫米镜头，用 Tri-X 黑白胶卷拍摄，期待奇迹发生。然而，就我在他位于纽约的家中所看到的，他仍保持谦逊，只关心他也许能拍到的下一张好照片。

"摄影是我的爱好，这点我很幸运。这些照片没有目的，它们就只是我碰巧看到的，然后我就继续前进了。我肯定不是一大早起来就决定做个幽默的人。但如果这些照片能打动人，那就够了。"

厄威特出生于巴黎，父母是俄国人。他于 1953 年加入玛格南，一直得到创始人之一罗伯特·卡帕的倚重。在作为国际摄影记者拍摄美国民权运动和古巴革命等事件的同时，厄威特挤出时间拍摄了地球上最具分量的偶像级人物——玛丽莲·梦露、菲德尔·卡斯特罗、安迪·沃霍尔、理查德·尼克松。尽管如此，他在街头拍的照片，无论拍于法国、爱尔兰、美国或者意大利，依旧是他个人的最爱。

"街头摄影最棒的地方在于任何人都能拍。你不用跟谁预约拍摄，不用构图，只要对你所看到的东西做出反应。我以前认识罗伯特·杜瓦诺，他是个伟大的街头摄影师，也是个非常棒的人。但他是怎么拍出这么多好照片的？他只是把相机举到眼前，咔嚓按下快门。"

当然，事情从来没那么简单，厄威特本人 2014 年在他的《个人经验》（*Personal Experience*）一书前言中也承认："如果你是认真对待拍照的，那你应该去学习古典艺术……你需要一种视觉构图感。我想你应该在你的照片中寻找实质，就是说，内容。如果你比较走运，拍到了一些画面有趣的东西……上面还有一点魔力，也许你就有了一张照片……我进行观察，努力寻找乐趣，但我最想要的是有感情的照片……今天很多事情都是没有感情的人在做，或者至少看上去如此……我是说，有些作品很迷人，很有趣，很精巧，技巧上也很出色。但如果它不是个人的，那它就失去了有趣的摄影所意味的东西。"

这里展示的照片，不仅表明了从情感上打动人是摄影中最难的事，也说明了这类摄影最优秀的倡导者之一仍是超级街头大师艾略特·厄威特。

艾略特·厄威特 圣特罗佩，法国，1979

第 156 页：**艾略特·厄威特** 圣特罗佩，法国，1979（局部）

艾略特·厄威特　帕萨迪纳（Pasadena），加利福尼亚州，美国，1963

"我进行观察，努力寻找乐趣，但我最想要的是有感情的照片。"

——艾略特·厄威特

艾略特·厄威特　夜晚的申利公园（Schenley Park），匹兹堡，宾夕法尼亚州，美国，1950

艾略特·厄威特 科罗拉多州，美国，1955

艾略特·厄威特 匹兹堡，宾夕法尼亚州，美国，1950

艾略特·厄威特　纽约，纽约州，美国，1955

LEONARD FREED

伦纳德·弗里德

伦纳德·弗里德出生于纽约布鲁克林，父母是工人阶级犹太人。在摄影生涯之初，大名鼎鼎的艺术家、摄影师和策展人爱德华·史泰钦曾建议他，要么继续做个业余爱好者——尽管才华横溢——要么去做卡车司机。

值得庆幸的是，爱德华·史泰钦（Edward Steichen）建议的这两条职业道路，弗里德都没选。相反，在他漫长而杰出的一生中，他以一名出类拔萃的人文主义摄影师而闻名，出版专题报道、书籍，举办展览，出自本能地站在被剥夺者、被忽视者和被迫害者一边。

弗里德2006年去世时，留下了大量档案，内容涵盖美国民权运动、纽约警察局的工作、北海石油工人和3K党等各种各样的主题。虽然他最常被人们记住的是这些充满人文关怀的经典报道，但他也是玛格南街头摄影师的典型，他们把相机嵌入自己每天的生活中，以同等的专注拍摄非凡和日常的事物。

"摄影就像生活，"弗里德曾这样说，"这一切意味着什么？我不知道——但你得到一种印象，一种感觉……一种走过街道，走过公园，走过生活的印象。我非常怀疑那些说自己知道摄影意味着什么的人。"

20世纪50—60年代，弗里德在阿姆斯特丹度过了几年时间。他在那里拍了一系列照片，最终出了两本摄影集，《阿姆斯特丹的犹太人》（*Joden van Amsterdam*，1958）和《阿姆斯特丹：60年代》（*Amsterdam: The Sixties*，1997），两本书现在都非常珍稀，非常抢手。弗里德20世纪60年代的作品随心所欲、无所不包，拍摄了北欧人最爱的派对之城，而且拍摄人们走在冰上的画面跟人们走在地上的一样多。

弗里德通常利用现成的光源拍摄黑白照片，他的阿姆斯特丹街头摄影是对一座既自由又守旧的城市的礼赞。印度尼西亚移民和身着传统服饰的荷兰老人分享同一个景框，而垮掉派诗人、鲱鱼渔民和海军军官也混在一起。在弗里德的照片中，阿姆斯特丹是一个民主而文雅的地方，一个渴望生活且对构图拥有敏锐感觉的摄影师，可以在这里尽情玩耍。

弗里德以相似的方式拥抱了罗马。他在1956年第一次前往罗马，之后半个世纪里多次重访，直到去世。就像阿姆斯特丹那样，罗马也是一座历史悠久的欧洲首都，罗马居民尽情享受着公共空间所提供的自由。有些公共空间——至少在罗马——已经被持续使用了上千年。无论是在节日期间流连教堂外跟游客们暗侃，还是看鱼贩们招徕自己的顾客，弗里德始终能注意到罗马街头上平庸的都市性与古老特权之间的碰撞。

当被问及他对什么才是好照片的看法时，弗里德的答案跟他对阿姆斯特丹和罗马的观察一样简洁扼要。"一张好照片"，他说，"必须遵循设计的原理：照片中的每个东西都必须是必不可少的。它不像绘画，你可以画到完美。它不应该绝对完美。那会毁了它。"

伦纳德·弗里德 一幅荷兰画正在被抬进阿姆斯特丹市立博物馆，阿姆斯特丹，荷兰，1958

第 164 页：**伦纳德·弗里德** 圣母大殿的棕枝主日，罗马，意大利，1958（局部）

对页：**伦纳德·弗里德** 罗马，意大利，2000

166

伦纳德·弗里德　那不勒斯，意大利，1958

"照片中的每个东西都必须是必不可少的……
它不应该绝对完美。那会毁了它。"

——伦纳德·弗里德

伦纳德·弗里德　阿姆斯特丹，荷兰，1964

PLAYING THE MARKETS

玩转市场

各种各样的市场，在街头摄影作品目录中占有重要地位，玛格南档案也不例外。

世界各地的城市里，跳蚤市场、露天市场、股票市场、购物商场和巴扎，为那些喜欢近距离观察讨价还价技巧的摄影师提供了丰富的素材。金钱和货物在专门地点交易，或奢华或简陋，这是一种世界性活动，让那些使用相机而不是购物袋的人感到既着迷又萎靡。对街头摄影师来说——站在买和卖的外围观察——街头市场特别像个舞台，许许多多的商贩、买家和伸长脖子呆看的人，出演同一出戏剧，日复一日，遍布世界各地。商贩们很少会被身边的摄影师打搅：显然，他们有更重要的事情要做，比如养家糊口。

几十年来，玛格南摄影师发明了许多巧妙的方法，用来在市场内外拍出戏剧性照片，尽管市场首先是实用的。1949 年，就在中华人民共和国成立前夕，亨利·卡蒂埃－布列松在上海拍摄了一张表现银行挤兑现象的史诗级照片，提醒我们市场的不稳定性倾向，以及可能由此引起的混乱和恐慌。在上海，有十个人在这次混乱中因挤压死亡。卡蒂埃－布列松的照片预示了后来每次金融危机都会引发的混乱场面：绝望的商人对着电话伤心欲绝，无论是在华尔街、伦敦金融城，还是巴黎证券交易所。范例作品还包括让·高米（Jean Gaumy）1973—1987 年的系列照片，巴黎的操盘手嘴里叼着雪茄或纸片，似乎以此避免自己因亏损而尖叫。

布鲁诺·巴贝对摩洛哥及其古城的色彩秘密情有独钟，对露天市场的一杯薄荷茶也饱含热情。巴贝将广角镜头发挥到极致效果，把泥墙、商贩的长袍以及他们出售的水果和蔬菜的色调校准得恰到好处。天气炎热无比，空气中满是虫子，香味和臭气夹杂在一起。但在巴贝的照片中，我们能感受到一种纯粹的静谧和安宁，因为日常交易被定格在美妙的色彩和弦中。

往东到中亚，再到中国西部，我们发现了卡罗琳·德雷克（Carolyn Drake）。作为一名年轻西方女性，德雷克一开始

就被视为闯入者。她闯入了迥然不同的世界——土库曼斯坦阿什哈巴德集市地毯商人的世界，或哈萨克斯坦阿拉尔斯克巴扎瓜商的世界。然而在某种程度上，她似乎能让自己迂回巧妙地进入市场跳动的心脏，揭露这些地方所包含的巨大的人际关系库存。

如果历史学家没错的话，那么灯火通明、货架高耸的超级市场就是 20 世纪 80 年代在英伦诸岛进入全盛时期的。如果英国曾被视为小商店店主的国度，那么 20 世纪 80 年代就是便宜货搜罗者的时代。总在找机会用讽刺幽默剖析英式毛病的马丁·帕尔暂时离开街道，在乐购和阿斯达超市的货架过道上进行战斗。他带回来的成果可不太好看。闪光灯末端捕捉到了彼此的推搡和痛苦的表情，此时消费者们正在将大批商品搬进像小船一般大的购物车中。这些照片刻画了今天这个社会的原始面貌：人们一头冲进"买个不停"的、盲目消费主义的未来。

跳蚤市场，因为琳琅满目的珍奇小物品和周末逛街者，仍然是最受街头摄影师欢迎的地方，他们总期待这样的机会，在一系列超现实的精致工艺品中呈现充满异域风情的物件。在这样的巴洛克背景中，有许多视觉游戏可把玩，许多傻气的刺激可传递。景框中的景框、古董镜子里倾斜的影像，以及穿装皮大衣的女郎，带来了一阵奇思妙想的晕眩。拍摄伦敦的红砖巷市集或巴黎的圣－图安跳蚤市场，对那些拿着相机打发时间的人来说，有一种罪恶的快感，不过如果拍得好，最终的照片会表明，正是这样的地方让一座城市的街道充满活力。马克·鲍尔（Mark Power）那张又邪恶又好玩的照片就是这样的例子。照片上，在英格兰霍夫市的市场上，一个男人挥舞着一根擀面杖。英格·莫拉斯（Inge Morath）也有一张这样的照片：一个男人背着一条白化蟒蛇走过纽约的食品市场。

格奥尔基·平卡索夫　菜市场，塔什干，乌兹别克斯坦，1992
第 170 页：**帕特里克·扎克曼**　中国城的运河街，纽约，纽约州，美国，2017（局部）

"许许多多的商贩、买家和伸长脖子呆看的
人，出演同一出戏剧，日复一日，
遍布世界各地。"

莫伊塞斯·萨曼（Moises Saman） 开罗郊区波阿什村（Birqash）学校院内的骆驼市场，埃及，2011

格奥尔基·平卡索夫 送货到埃莱舍夫（Elyseev）食品店，莫斯科，苏联，1981

对页：伯特·格林（Burt Glinn） 鱼市，日本，1961

让·高米　证券交易所，巴黎，法国，1973
对页:让·高米　证券交易所及其金融期货市场，巴黎，法国，1973

"金钱和货物在专门地点交易，或奢华或简陋，
这是一种世界性活动。"

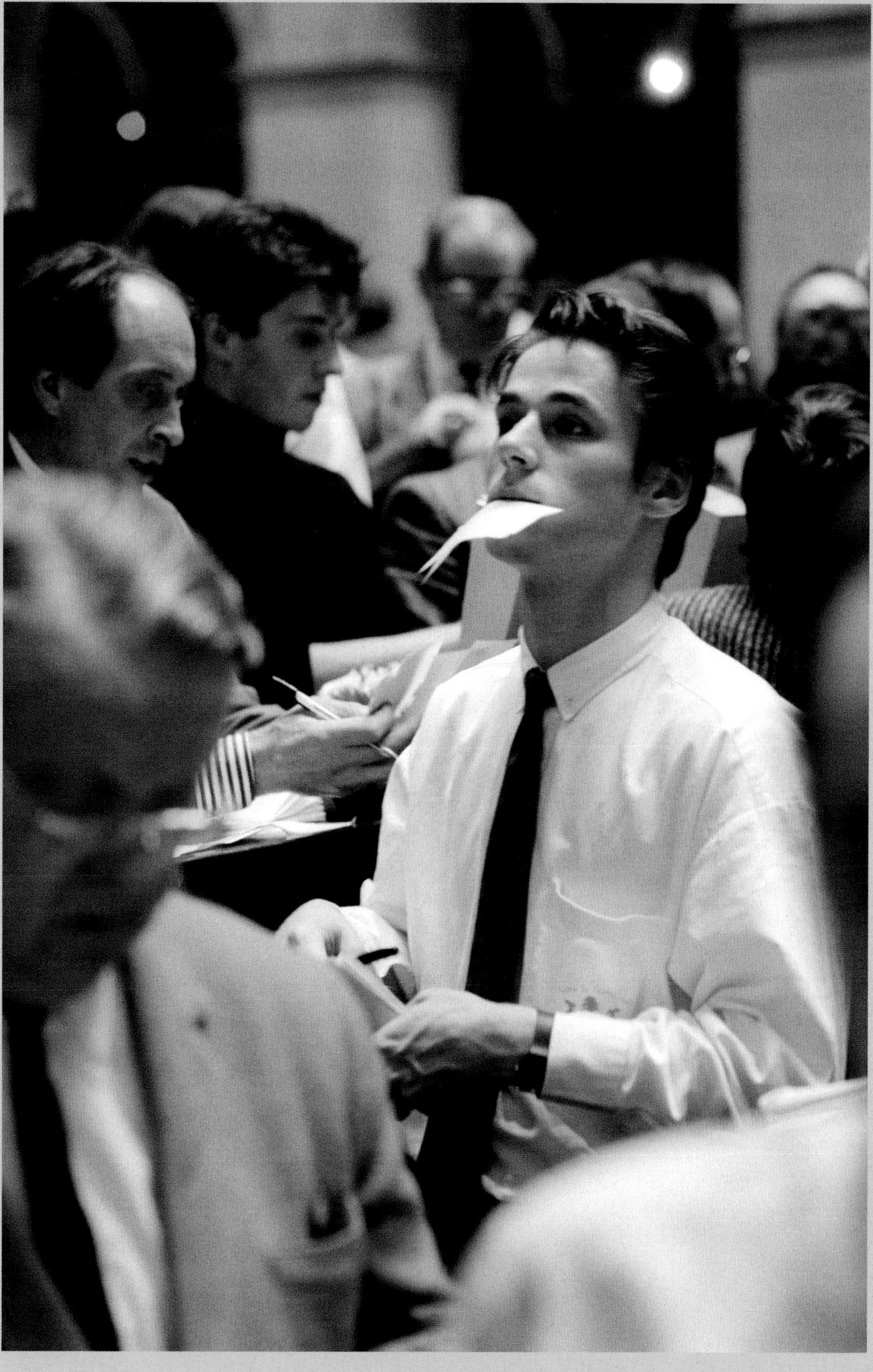

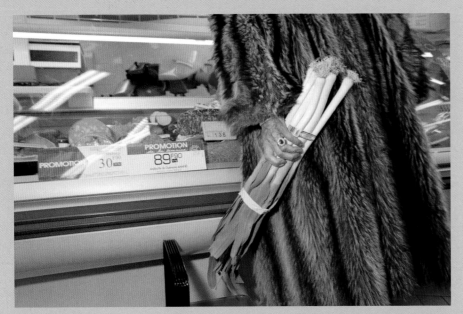

帕特里克·扎克曼 独价超市，香榭丽舍大街，巴黎，法国，1998

马丁·帕尔 打发时间，索尔福德（Salford），英格兰，英国，1986

马丁·帕尔 欧尚（Auchan）大卖场，加来（Calais），法国，1988

马丁·帕尔 疯狂价（Crazy Prices）超市，都柏林，爱尔兰，1986

布鲁诺·巴贝 西迪贝勒阿贝斯（Sidi Bel Abbès）清真寺附近，马拉喀什，摩洛哥，2001

英格·莫拉斯　第九大道食品展销会上缠着白化蟒蛇的男人，纽约，纽约州，美国，1998

马克·鲍尔　市场，霍夫，英格兰，英国，1991

第 184—185 页：**亚历克斯·韦伯（ Alex Webb ）**　无题，1981

第 186—187 页：**卡罗琳·德雷克**　绿洲小镇上的市场，新疆，中国，2007

LONDON

伦　敦

尽管玛格南的创始人之一乔治·罗杰是英国人，但在图片社前 30 年左右的历史里，大部分在伦敦的拍摄任务都是由法国和美国的摄影师完成的。

20 世纪 70—80 年代，随着越来越多英国摄影师受邀加入玛格南，在伦敦设立专门办事处的呼声也越来越大。到 1986年，克里斯·斯蒂尔－珀金斯和彼得·马洛说服他们的同事：伦敦办事处是对巴黎和纽约的办事处的必要补充。

当然，考虑到伦敦及周边地区的摄影历史，以及这座城市的国际地位，这家世界顶级摄影机构在伦敦设立办事处是完全合理的。摄影媒介的共同发明者威廉·亨利·福克斯·塔尔博特（William Henry Fox Talbot），难道不正是于 1844 年在伦敦拍下他的第一张街头摄影作品，记录特拉法加广场竖起纳尔逊纪念柱（Nelson's Column）的吗？90 年后，在同一个纪念柱的基座上，卡蒂埃－布列松拍下了有史以来最优秀的伦敦街头照片。照片中，一名男子睡在报纸堆上，而他上方坐在纪念柱基座上的爱国者们，正沉浸在乔治六世的加冕仪式的氛围中。这种复杂的社会生活方式允许睡觉的人和摄影师各行其是，后来成为英国首都生活的一大特色，而正是这点吸引了玛格南摄影师，但有时也让他们困惑不解。

这里展示的照片，除了乔治·罗杰的作品，还有一张来自另一位玛格南创始人罗伯特·卡帕。卡帕这张伦敦照片拍摄于 1941 年，拍摄对象是一名地方志愿兵（Home Guard）成员。地方志愿兵是一个官方民兵组织，由一定年龄的男性志愿者组成，也叫"老爷兵"。不过，照片中抽着烟的男人，跟那个倒立的、手拿板球棒的男孩，他们到底在干什么，就不得而知了。在罗杰那张拍摄 1960 年玛格丽特公主婚礼的照片上，一名警察温柔地抱着一位情绪过度激动的围观者离开人群。几十年来，在严格的社会规范下，这种情感的表达——或者更准确地说，情感的压抑——为玛格南那些选择在街头工作的欧陆摄影师代表团提供了大量素材。

在欣赏这些来自伦敦的街头摄影作品时，我们要对那个无名无姓的英国文化委员会行政人员表示迟到的祝贺，正是他，在 1958 年英国还处于战后经济紧缩的困难下时，决定委任智利的玛格南摄影师塞尔吉奥·拉莱进行为期八个月的拍摄

项目，记录这个国家各个城市的情况。这个项目最终出版的摄影书只聚焦伦敦，至今仍是对那段时期伦敦的重要记录。早他几年，英格·莫拉斯选择用丰富的色彩拍摄伦敦的战后复苏。拉莱则不同，他选择用情感强烈的黑白拍摄。尽管在视野上不如罗伯特·弗兰克（Robert Frank）的同时代杰作《美国人》（The Americans，1958）那么宏大，拉莱的《伦敦：1958—1959》（London 1958-59）在形式的创新上毫不逊色，对阶级分化问题的审视也同样深刻。任何摄影师，只要想通过光秃秃的悬铃木拍出死气沉沉的、悲凉的冬日伦敦，都应该好好研究一下本书中拉莱在 1959 年拍摄的那幅令人着迷的伦敦照片。

近期去过伦敦的人都会告诉你，这座城市的重心已经东移了。在 20 世纪 60—70 年代，著名的伦敦西区——皇家公园、国王路、莱斯特广场和苏活区的所在地——就是布鲁斯·戴维森、马克·吕布和戴维·赫恩等人活动的地方，他们正在记录即将到来的、万事万物都时髦先锋的时代。等到千禧年之交，伦敦的东侧——从老金融中心开始，沿着泰晤士河，到白教堂，再到哈克尼（Hackney）和格林尼治——将会把形成已久的工人阶级社区和后工业地带纳入新一代摄影人的视野。

可以说，正如我们在本书前面所看到的，是伊恩·贝里开启了这一转变——用他 20 世纪 70 年代初在白教堂和红砖巷拍摄的开创性作品。此后，他多次回到那个地区，不断更新他对伦敦这一部分的观察。对许多当代摄影师而言，这一地区已经成为街头摄影的总部。另一位英国摄影师马克·鲍尔，在伦敦的新兴时尚东区记录那许多拔地而起的并置建筑群时，鞋子和相机都磨坏了。鲍尔成功地在这里找到一种宁静安定的感觉，这绝非易事，因为这是伦敦最吵闹、交通最拥挤的地方。同样，卡尔·德·凯泽以位于肖迪奇（Shoreditch）边上的那条实用主义的老旧环形路为拍摄对象（有人会说丑到了极点），拍到一群刚要开启夜生活的年轻女性正往下进入一个堪称地狱的地方。

伦敦最古老的城区，方里小地（Square Mile）——曾经是

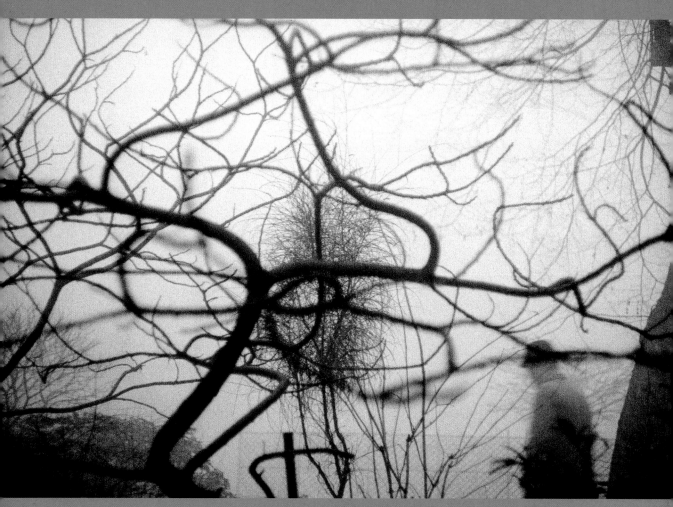

塞尔吉奥·拉莱　伦敦城，伦敦，英格兰，英国，1959
第 188 页：**帕特里克·扎克曼**　苏活区，伦敦，英格兰，英国，2003（局部）
第 191 页：**塞尔吉奥·拉莱**　伦敦城，伦敦，英格兰，英国，1959
对页：**塞尔吉奥·拉莱**　特拉法加广场，伦敦，英格兰，英国，1959

被城墙围起来的罗马飞地，最近却变成了金融界的巴比伦——接受过所有伟大街头摄影师的拍摄。罗伯特·弗兰克和布鲁斯·戴维森巧妙评价了它在 20 世纪 50—60 年代对金钱的崇拜，但在后千禧年——方里小地化身巨兽的时代，是澳大利亚摄影师特伦特·帕克为这座城中城提供了最准确、最审慎的记录。帕克在清晨拍摄通勤族的照片，呈现出一座即将开始运转的巨大金钱机器。当耀眼的阳光从东边照进迷宫般的街道，在烟雾缭绕光影斑驳中，帕克展示了一个现代的、过劳的伦敦人部落，他们中许多人来自世界各地，共享着这座城市的商业赏金。

马克·吕布　伦敦，英格兰，英国，1954

乔治·罗杰　在玛格丽特公主的婚礼上过度激动，伦敦，英格兰，英国，1960

对页：**罗伯特·卡帕**　一名"地方志愿兵"成员，伦敦，英格兰，英国，1941

托马斯·多尔扎克 哈里王子和梅根·马克尔婚礼当天，伦敦，英格兰，英国，2018

对页：**马克·鲍尔** 肖迪奇区，伦敦，英格兰，英国，2017

"在这里找到一种宁静安定的感觉，这绝非易事，因为这是伦敦最吵闹、交通最拥挤的地方。"

卡尔·德·凯泽　老街地铁站外，伦敦，
英格兰，英国，2017

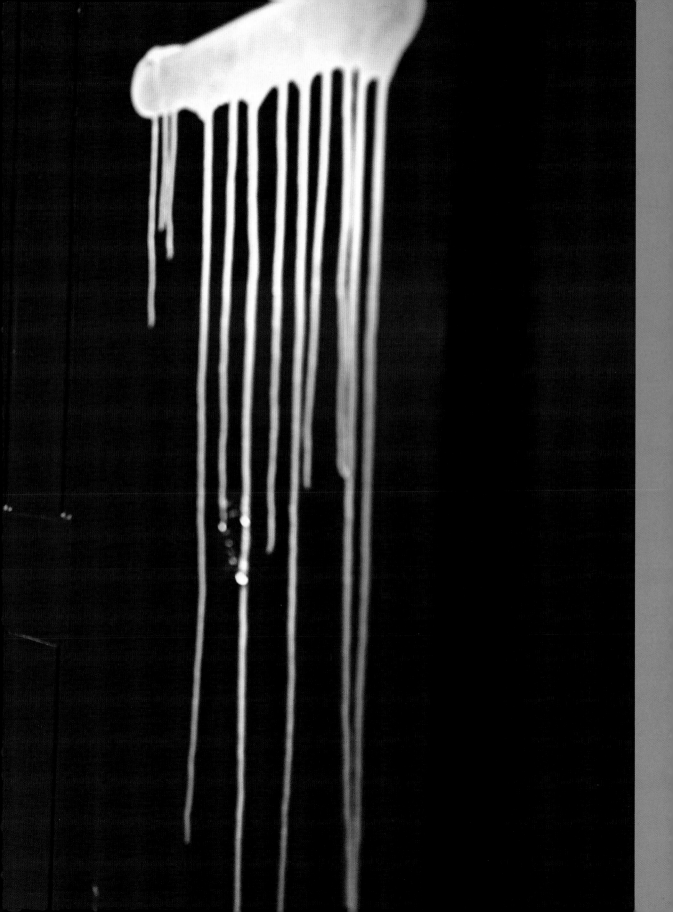

特伦特 · 帕克 园丁在照看盆栽，金融区，伦敦，英格兰，英国，2006
第 202—203 页：**伊恩 · 贝里** 厨师站在餐厅的后门外，白教堂，伦敦，英格兰，英国，2011

特伦特·帕克 针线街（Threadneedle Street），金融区，伦敦，英格兰，英国，2006

BRUCE GILDEN

布鲁斯·吉尔登

20 世纪 70 年代初，布鲁斯·吉尔登就开始在纽约——他的家乡——记录那些占据人行道的传奇人物。

虽然吉尔登也不确定他漫长的摄影旅程是从什么时候开始的，但他清楚记得，到 1981 年他已经在用第 900 卷胶卷了，还记得他第一张自己觉得像样的照片，是 1969 年去科尼尼岛旅行时拍摄的。除了这些，关于他的街头摄影习惯是怎么开始的，答案就不太清晰了。

吉尔登现年 74 岁，还在接受拍摄任务。他一直在回头翻看一些以前被忽视的底片印样（contact sheet）和照片，那些是他在纽约还是一座脏乱、负债累累但依然神气十足的城市时拍摄的。他重新挖掘出来的照片中，有两张可以在本页背后看到。其中一张照片，一辆鲨鱼般的敞篷车上，几个乘客正与摄影师对视；另一张里是一对母子，发型精心处理过，戴着人造钻石和珍珠，大跨步从两个相比朴素得多的人身边走过。

"我父亲是个有点强硬的人，"吉尔登说，"我母亲很勤俭朴素。我们家里一本书都没有，从小他们教我的东西就是怎么打架，怎么把车门锁好以免被人抢到。我体育方面很厉害，但父亲不看好我。而在摄影中，我找到了自己擅长的东西——这种东西可以向他证明我是有艺术天赋的，并且会坚持下去取得成功。"

策展人苏珊·基斯马里克（Susan Kismaric）在描述吉尔登的处女作《面对纽约》时说："布鲁斯·吉尔登的街头剧场的角色阵容令人惊骇。他们时而庸俗华丽，时而离经叛道，通常都神秘莫测。对吉尔登和他这些纽约人'同事'来说，他们不过是邻居罢了。"

"不管你是硬汉，还是家庭主妇，或者其他什么，都不要

紧，"吉尔登说，"对我而言，重要的是你看起来怎么样——怎么穿着打扮，脸型什么样，或者做了什么夸张的发型。但在 70 年代中期我刚起步时，纽约更为破旧、暴力和紧张不安，因此那对我来说是个好时机。"

吉尔登总是有意识地追求创造性，于是他决定去看看自己能否在纽约之外运用技能，最后在 1985 年，海地让他实现了这一愿望。从那时起，吉尔登到爱尔兰、日本、英国等许多地方旅行拍摄，照片都被用来出书或办展览。但海地最终成为他的最爱。

"对我打算去的国家，我不太会提前阅读了解，因为我想自己去发现，但我确实知道海地是西半球最落后的地方……我也知道那里有充满活力的街头生活可以拍。那里的人们很友好，很优雅——尽管也很穷，而且他们似乎并不介意我拍他们。"

这里收录的海地照片是吉尔登最近几次去拍的——在飓风和大地震带来严重破坏之后。但吉尔登没有把注意力放在自然灾害造成的绝望状况上，而是在出租车站和街头市场这样的地方观察市民生活的复苏。

"这是个很特别的地方，它是一个把自己从奴隶殖民地境况中解放出来的国家，这里的人们很有艺术天赋。当然了，政府还是非常腐败，大部分人真的很穷，但我从来没有感受到威胁。我擅长我所做的事，对周围环境的把握能力也不错，但我也友善待人，必要时也无惧自嘲。"

布鲁斯·吉尔登　纽约，纽约州，美国，1979

第 206 页：**布鲁斯·吉尔登**　纽约，纽约州，美国，1984

布鲁斯·吉尔登　纽约，纽约州，美国，1978

布鲁斯·吉尔登　纽约，纽约州，美国，1986

"不管你是硬汉，还是家庭主妇⋯⋯
都不要紧⋯⋯重要的是你看起来怎么样——
怎么穿着打扮，脸型什么样，
或者做了什么夸张的发型。"

——布鲁斯·吉尔登

布鲁斯·吉尔登 德萨林斯街（rue Dessalines）公交站旁，太子港，海地，2011
第 210—211 页：**布鲁斯·吉尔登** 纽约，纽约州，美国，1984

布鲁斯·吉尔登 德萨林斯街公交站，太子港，海地，2011
对页：**布鲁斯·吉尔登** 葬礼后，太子港，海地，2011

布鲁斯·吉尔登 42 街和第七大道交叉路口,纽约,纽约州,美国,1987

HARRY GRUYAERT

哈里·格鲁亚特

街头摄影跟色彩的关系一直饱受争议，深陷关于真实性和商业性的难解难分的争论之中。

卡蒂埃－布列松将闪光灯视为不惜一切代价也要避开的武器，对于彩色胶片，他也看到了庸俗趣味和商业利益的威胁，认为这些践踏了新闻摄影的纯洁性。直到 20 世纪 70 年代，杂志已经开始刊登彩色照片，玛格南还在鼓励它的摄影天才们只用黑白拍摄。我们或许会好奇，卡蒂埃－布列松对他的好朋友罗伯特·杜瓦诺 1960 年在棕榈泉拍的那些彩色照片会有什么看法，不过因为这些照片最近才出版，我们永远也得不到答案了。

长期以来，人们一直认为，彩色照片最开始被接受是在 20 世纪 60 年代末，当时美国摄影师威廉·埃格莱斯顿（William Eggleston）、乔尔·迈耶罗维茨和斯蒂芬·肖尔（Stephen Shore）开始认识到，彩色也适用于非常个人的拍摄目的。然而最近几年，这个说法得做修改了，因为人们发现了索尔·莱特、戈登·帕克斯（Gordon Parks）、弗雷德·赫尔佐格（Fred Herzog）以及薇薇安·迈尔等人在 20 世纪 50 年代创造的彩色奇迹。但当时的彩色胶片印制工艺还非常不稳定，看到许多这样的作品被尘封在盒子里也就不奇怪了。

跟埃格莱斯顿等人一样，这位比利时摄影师哈里·格鲁亚特在 20 世纪 60 年代末开始试验柯达克罗姆彩色胶卷。在 1982 年受邀加入玛格南，移居巴黎转向彩色摄影之前，格鲁亚特曾在比利时学习摄影和电影制作。在大部分玛格南成员——

例如乔治·罗杰斯和英格·莫拉斯——还只偶尔使用彩色拍摄的时候，格鲁亚特已经是图片社第一批致力于彩色摄影的人——其中还有亚历克斯·韦伯——之一了。从那以后，他用了几十年时间探索彩色摄影的可能性，拍摄的国家各式各样，包括摩洛哥、印度、俄罗斯、日本，以及这些此前未曾发表过的照片所展示的——爱尔兰。

"20 世纪 80 年代，我去了两次爱尔兰，"格鲁亚特说，"开着一辆大众露营小巴环岛旅行……只要有机会，我都尽量出去拍。有了那辆小巴，你就可以一直开到土地尽头与海相连的地方。我很喜欢这样的沿海旅行，因为沿途光线非常好。"

虽然爱尔兰可能缺少摩洛哥和印度那种热情洋溢的色彩，格鲁亚特还是找到了许多富有表现力的色调——丰富的绿色、舒服的黄色和大地的褐色。我们从这些照片中看到的，是爱尔兰和爱尔兰人民的肖像，宽厚大方，与这个国度的乡村节奏高度契合，不去迎合刻板印象和庸俗趣味。"我待在那些最美的地方，到一天快结束的时候，总有机会喝上几杯健力士黑啤。我喜欢爱尔兰和爱尔兰人的心态。那个地方实在太美了。"

格鲁亚特用彩色摄影创造多种不同情绪的能力，鼓舞了他的许多玛格南同事从黑白转向彩色。尤其是马丁·帕尔，不久后他就证明了彩色街头摄影的卓越表现力。

哈里·格鲁亚特　凯里郡，爱尔兰，1983
第 222—223 页：哈里·格鲁亚特　凯里郡，爱尔兰，1983

"爱尔兰和爱尔兰人民的肖像……不去迎合
刻板印象和庸俗趣味。"

哈里·格鲁亚特 戈尔韦（Galway），爱尔兰，1984

DAVID ALAN HARVEY

戴维·阿伦·哈维

戴维·阿伦·哈维拍摄里约热内卢的作品，在 2012 年集结成了富有新意并屡获奖项的《（根据真实故事改编）》[*based on a true story)*] 一书，表明了一点：在由光鲜的新闻杂志主导的旧媒体世界因专题报道而广受欢迎的摄影记者，在不息的热情的驱动下仍然能够创造出新颖的叙事。

"几十年来，"哈维解释道，"我一直在拍摄葡萄牙、西班牙与其美洲殖民地之间存在的各种复杂联系——文化的、宗教的、社会的。为这个目的，我在古巴、阿根廷、西班牙、墨西哥和智利拍摄，这些照片汇编成一本书《被分割的灵魂》(*Divided Soul*，2003)；尽管我在里约拍过几次，但那些照片还不足以成书。后来我拿到了《国家地理》的一个大型拍摄任务，也就是在 2016 年奥运会前对里约进行一段较长时间的拍摄，这让我有机会深入并尝试探索这座世界级城市的灵魂。"

无论是否真的去过，里约给人的感觉都非常熟悉，主要是因为那些过度饱和的沙滩、足球和嘉年华的照片渗透进了我们的意识。当然，《国家地理》想要的是大量桑巴舞式的热烈情感，以打造一个观众友好版本的里约，但哈维想要的更多。

"在某种程度上，我必须像做传统报道一样拍摄这座城市，但人们对里约充满了刻板印象，我需要摆脱这些，而且我想那里有充分的素材让我做得更广泛更深入。因此几个月里，我跟里约社会的方方面面打交道，这并不容易，因为他们彼此互不信任。我跟毒品贩子渐渐熟悉，也走近那些要抓捕他们的警察。我跟贫民窟里的人建立了很不错的联系，在富人区也蛮吃得开，这些地方可是特别难接近的。我能成功融入这些社群，是因为我是个局外人，并且找到了信任我的人。

"我得到信任是因为我不会辜负别人的信任。在街上，我经常让人们看我拍的照片，让他们知道我没有恶意。但在为我自己这本书拍摄时，我想超越普通纪实摄影的边界，想办法把那些帮助我进入里约社会的人也包含进来。他们是我的缪斯，通过他们，我有了六个角色的演员阵容，许多照片中都有他们的身影。我并没有要求他们做什么，只是利用他们的在场创造一些场景，使我能够在那个环境中拍一些快照。这超出了一般的编辑底线，但我觉得这样做很自由，最终创作出一本书，它是关于里约的，但其中没有一处出现了'里约'这个词。"

确实，这些照片里，有狂欢节的热情洋溢，有科帕卡瓦纳海滩上沙粒质感的疯狂，但我们也看到了这座城市更为复杂、暧昧的一面。这本书对里约社会不同阶层的描绘，可以说是狄更斯式的，在他力量的巅峰时刻，这位街头摄影师用坦率的目光拍摄下了这里的一切。

"这些照片自然而成，我不想做最终的编定；我想让观者在其中看到自己的叙事可能性，因此这本书本身是没有装订的，人们可以自行编排。这反映了我对文学和电影持续一生的兴趣。它赢得了很多奖项，因此最终我那些艺术上的冒险是值得的。"

戴维·阿伦·哈维 阿普多（Arpoador）海滩上的玉米摊，里约热内卢，巴西，2014
第 226 页：**戴维·阿伦·哈维** 里约热内卢，巴西，2011（局部）

"这些照片自然而成，我不想做最终的编定；
我想让观者在其中看到自己的叙事可能性。"

——戴维·阿伦·哈维

戴维·阿伦·哈维 米兰特·多娜·玛塔，里约热内卢，巴西，2015

戴维·阿伦·哈维　里约热内卢，巴西，2011

第 230—231 页：**戴维·阿伦·哈维**　伊帕内玛海滩（Ipanema Beach），里约热内卢，巴西，2014（局部）

"人们对里约充满了刻板印象，我需要摆脱
这些……因此几个月里，
我跟里约社会的方方面面打交道。"

——戴维·阿伦·哈维

戴维·阿伦·哈维 特别警察行动营（BOPE）在塔瓦雷斯·巴斯托斯（Tavares Bastos）贫民区训练，里约热内卢，巴西，2010

戴维·阿伦·哈维 里约热内卢，巴西，2011

DAVID HURN

戴维·赫恩

戴维·赫恩，一个骄傲的威尔士人，50 多年来一直是玛格南的中坚人物。

如果摄影是一项团队运动，赫恩就是玛格南的总教练。作为一名自学成才的摄影师，赫恩的摄影生涯充满了传奇色彩和漫游经历。1956 年，年仅 21 岁的他拍摄了匈牙利革命，照片发表在《生活》杂志上。20 世纪 60 年代，他为肖恩·康纳利和简·方达等好莱坞明星拍摄了极具标志性的片场肖像。1973 年，他在威尔士新港（Newport）成立了纪实摄影学院（School of Documentary Photography）。赫恩和比尔·杰伊（Bill Jay）合著的《论成为摄影师》（On Being a Photographer，1997），被街头摄影界的许多年轻人大量引用。

近年来，赫恩把注意力集中在他的家乡，出版了一些关于威尔士现代生活方方面面的摄影书。不过他有一个反复拍摄的主题，就是我们对海滩的热爱。从银色沙滩瞭望海景，是生活最大的乐趣之一。赫恩已经拍摄了大量聚焦世界各地海滨度假胜地的绝佳作品。"我开始拍摄海滩风景和度假者，是因为我喜欢呈现人们放开心敞开玩的样子，"他解释说，"早在 1963 年，我就拍摄了肯特郡（Kent）的赫恩湾（Herne Bay）……我深觉自己秉承了可爱的摄影师保罗·马丁（Paul Martin）的传统，他在 1892 年就去了大雅茅斯拍摄。在我看来，没有哪部假日照片集能超过他的作品。"

赫恩的一些最好的海边照片是在加利福尼亚州威尼斯海滩拍的，这次是通过另一位街头摄影传奇人物的介绍。"20 世纪 80 年代早期，加里·威诺格兰德在洛杉矶，我去他那里待了一段时间……他在威尼斯海滩拍了很多照片……跟他出去拍照很好玩。有一些关于加里的神话，说他单手拍照，没有任何构图概念，但这完全是胡说八道。你如果看到他的底片印样，会发现构图简直不可思议。你可以在他的照片上看到他在尝试往前移动，就像能在卡蒂埃 - 布列松那里看到的一样。"

尽管已经 86 岁了，赫恩还在继续工作。我写这篇文章时，他正在计划重访他在 20 世纪 60 年代拍摄过的一些地中海地区。他最近也开始用 Instagram 了，展示他存档里的一些精彩照片，并写一些话鼓励有志向的摄影师。他在最近一条推送上放了张照片，上面是威尔士巴里岛（Barry Island）的一对年轻人。"这张照片曾被用在格林尼治国家海洋博物馆举办的'大不列颠海滨'展览（2018）的海报上，"赫恩说，"由于社交媒体的奇迹，人们找到了我拍的这对年轻人，在 37 年后——他们还是朋友，但已经不在一起了。我非常想跟他们吃个午餐，这样我就能给他们每人一张照片。"

正是这种慷慨精神定义了赫恩的摄影生涯。

戴维·赫恩 海滩上的当地人像摄影师，赫恩湾，英格兰，英国，1963

第 234 页：**戴维·赫恩** 在威尼斯海滩上休闲放风筝的快乐，加利福尼亚州，美国，1980（局部）

戴维·赫恩 家庭旅游团，里尔（Rhyl），威尔士，英国，1997

戴维·赫恩 原始狗沙滩（The Original Dog Beach），圣迭戈，加利福尼亚州，美国，2008

戴维·赫恩 赫恩湾，英格兰，英国，1963

第 238—239 页：**戴维·赫恩** 业余摄影师在戛纳电影节上拍摄年轻女星，法国，1963

"我喜欢呈现人们放开心敞开玩的样子。"

——戴维·赫恩

戴维·赫恩 口哨沙滩（Porth Oer），威尔士，英国，2004

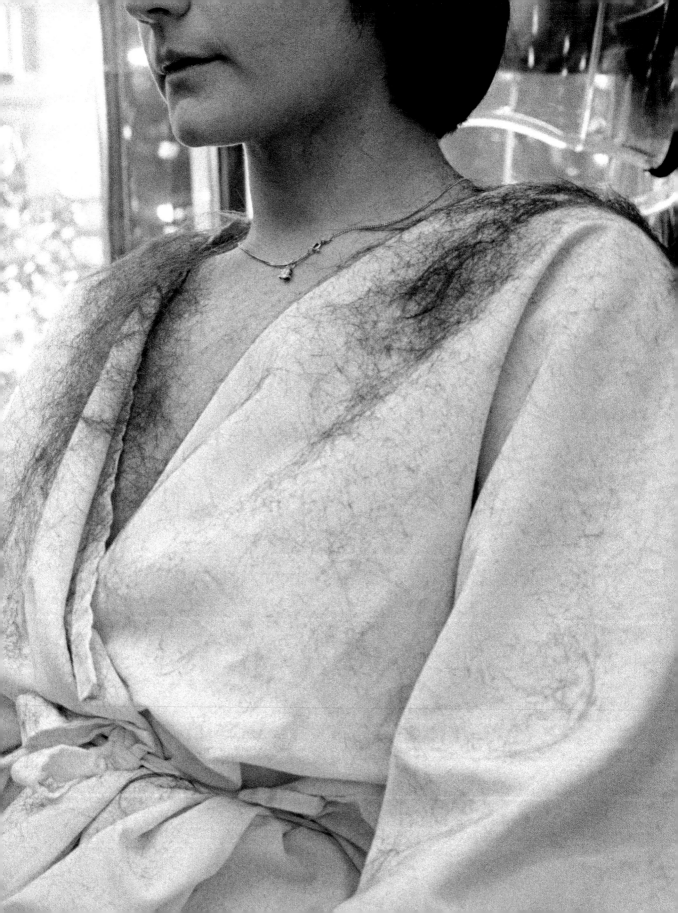

RICHARD KALVAR

理查德·卡尔瓦

玛格南所有成员都会参与图片社的核心任务，即在世界性事件发生的几乎同一时刻提供图片报道，但他们大多数人也都在从事个人项目——充满热情的私人摄影项目，不受截稿期限和上传速度的限制。

跟他的许多玛格南同事一样，在布鲁克林长大但长期定居巴黎的理查德·卡尔瓦，把为玛格南拍摄的任务和自己的个人作品严格区分开来。卡尔瓦在一篇博客文章中强调了专业和业余在重要程度上的创造性角力："在我最自大的时候，我会说自己是个相当不错的专业摄影师，但却是一个更有趣的业余摄影师……拍这两种照片的我是同一个人，尽管我的专业摄影没有那么深奥那么神秘，但我希望能有同样的敏锐度和游戏心态，以及同样的视觉价值。"

拿卡尔瓦 20 世纪 70 年代末到 80 年代初在罗马拍摄的照片来说，这些照片经过很长时间才成为一部连贯完整的作品，因为一些个人照片在玛格南档案里冷冷清清地存放了 30 多年后才得以出版——其中一些首次发表于本书。尽管如此，卡尔瓦的罗马之行依然是一段技艺精湛、高度风格化的拍摄旅程，说明了为什么这座永恒之城对视觉艺术家而言是如此迷人的都市梦境。

"1978 年，《新闻周刊》杂志派我去罗马报道教皇若望·保禄一世逝世和新教皇选举，"卡尔瓦解释说，"坐出租车离开机场的路上，我就已经不知所措了。在下午后半段的光线中，罗马看起来简直不可思议，我那时完全没有经验，竟然不知道我到底要在这座城市拍些什么。我住的那家豪华旅馆就在西班牙阶梯（Spanish Steps）边上，我简直立刻就爱上了这个地方。"

拍摄完若望·保禄一世的葬礼后，卡尔瓦发现在教皇选举前自己还有两个星期时间可以消磨。于是他就带上徕卡相机和一些黑白胶卷，开始试着表达那些仿佛从罗马古街上渗透出来的神秘感和戏剧性。"我就只是在城里到处随便走，"卡尔瓦说，"人们是那么热情，富有表现性和戏剧性，让我难以置信……对于像我这样喜欢对着交谈者又看又拍的人，那里简直就是天堂。"

1978 年，成千上万的摄影记者前往罗马报道同样的事件，但卡尔瓦的罗马与他们的版本相当不同。市民们打着手势，互相抗辩或互相劝诱，完全是罗马人的样子，但我们无法判断，那天的故事是关于鱼的价格，还是关于某个红衣主教可能遭遇谋杀。这个罗马充满这样的时刻，生活似乎被拉扯扭曲成另一种形态，暗示着许许多多可能的现实。

"任何一个聪明的摄影师，来到一个新鲜陌生的城市，看事物的角度跟住在那里的人都会有所不同，"卡尔瓦说，"我是个美国人，有艺术史背景，住在巴黎，因此我把所有这些个人历史都带到了罗马……大部分照片看起来都有些超现实——也许有点马格里特（René Magritte，比利时超现实主义画家。——编者注）的影响——但我尽量不把自己的意识影响带入摄影。与其模仿其他艺术家，我更喜欢从我读过的书、看过的展览中获得灵感，看看这样会从我的无意识中唤出些什么。"

即使在这些照片拍摄了 40 余年之后的今天，卡尔瓦的罗马——如果说尚未达到永恒的话——仍然保持着无穷的魅力，等待被观看。

理查德·卡尔瓦　国会大厦广场上面露疑色的女人，罗马，意大利，1984

第 242 页：**理查德·卡尔瓦**　理发店，罗马，意大利，1981（局部）

理查德·卡尔瓦 罗通达广场（Piazza della Rotonda），罗马，意大利，1980

"任何一个聪明的摄影师，来到一个新鲜陌生的城市，看事物的角度跟住在那里的人都会有所不同。"

——理查德·卡尔瓦

理查德·卡尔瓦 科尔索大道（Via del Corso），罗马，意大利，1981

理查德·卡尔瓦 维托里奥·埃马努埃莱二世大街（Corso Vittorio Emanuele II），罗马，意大利，1981

SERGIO LARRAÍN

塞尔吉奥·拉莱

玛格南几十年来培养、鼓励和支持的所有天才街头摄影师中，智利奇才塞尔吉奥·拉莱可能是最神秘的一个。他在 20 世纪 50—60 年代从事专业摄影，前后不超过十年。

可以说，"摄影师"这个词无法概括拉莱的生涯轨迹。拉莱天性喜欢独处，他在加利福尼亚州学习林业科学，身兼诗人、画家、旅行家等身份，后来还成为一位多产的书信作家，与他的玛格南同事们进行通信，包括曾给予他启发的亨利·卡蒂埃-布列松。

拉莱于 2012 年去世，享年 80 岁。他一生的大部分时间都是作为一名瑜伽大师和冥想专家在智利高地上度过的。然而，四本精美的摄影书和近来的一次回顾展让人们记住了他。那次回顾展由他长期合作的玛格南编辑阿格奈什·塞尔（Agnès Sire）汇编策划，让我们得以深入理解他与众不同的、诗意而真诚的摄影方式。

作为玛格南成员，拉莱对有酬拍摄任务的态度，可以说是不置可否的。在一封给卡蒂埃-布列松的信里，他写道："我尽量只做我真正喜欢的事。只有这样，我的摄影生命才能保持活力……我觉得新闻摄影的那种匆忙——时刻准备要扑向任何报道——会毁掉我对摄影工作的热爱和专注。"

讽刺的是，正是早期为玛格南拍摄的一个高难度任务——追踪跟拍黑手党教父安东尼·罗素（Anthony Russo）——给了拉莱时间和机会拍出那些迷人的西西里照片。他拍摄隐遁的黑手党成员的肖像，刊登在《生活》杂志上，并在世界各地的报刊发表，但那些在巴勒莫（Palermo）、科莱奥内（Corleone）

和乌斯蒂卡（Ustica）的街道上拍摄的系列照片，才体现出拉莱生活的艺术。死亡、哀悼、儿童的天真无邪、堕落的幽灵——这一切赫然耸现，我们不禁感到了拉莱的不安。他正在设法应对这样一个社会，那里对带相机和讲外国话的孤独漫游者充满了天生的不信任感。

另一块大陆上，在智利的家乡附近，拉莱在秘鲁原住民中找到了灵感。从本书印出的成果照片示例中，我们看到拉莱让自己的摄影贴近地面，这既是字面意义上也是象征意义上的——肚子压在安第斯山脉的尘土上，抬头看向孩子和大人，就像一只流浪狗，也许有时候他就是这么看待自己的。

从他停止摄影后写给塞尔的信件中，我们能更好地理解摄影艺术对这个直觉敏锐、共情能力极强的人意味着什么。但摄影也让他疲惫不堪，尤其在玛格南做摄影记者的时候，那些拍摄要求慢慢地侵蚀他。"一张好照片"，他写道，"是由一种优雅的状态创造的。当优雅挣脱传统技法的束缚，像孩子刚刚发现真实那样自由，它就开始表达它自身了。你惊喜地走来走去，仿佛第一次看见了真实。"

每个摄影师，尤其是想成为街头摄影大师的人，都会从拉莱的话中受益良多，但他对那些太用力者的警告也很贴切："千万不要勉强，否则照片会失去诗意。永远跟着自己的品位走，别的不要管。你就是生活，而生活就是你所选择的。"

塞尔吉奥·拉莱　西西里，意大利，1959

第 250 页：**塞尔吉奥·拉莱**　巴勒莫，西西里，意大利，1959

对页：**塞尔吉奥·拉莱**　当地村民参加星期日上午的弥撒和集市，皮萨克（Pisac），秘鲁，1960

> "千万不要勉强，否则照片会失去诗意。
> 永远跟着自己的品位走，别的不要管。"
>
> ——塞尔吉奥·拉莱

塞尔吉奥·拉莱　拉戈·戴尔·奥雷托（Largo dell'Oreto）地区，巴勒莫，西西里，意大利，1959
对页：**塞尔吉奥·拉莱**　乌斯蒂卡岛监狱，西西里附近，意大利，1959

塞尔吉奥·拉莱　当地村民参加星期日上午的弥撒和集市，皮萨克，秘鲁，1960

对页：**塞尔吉奥·拉莱**　科莱奥内村镇，西西里，意大利，1959

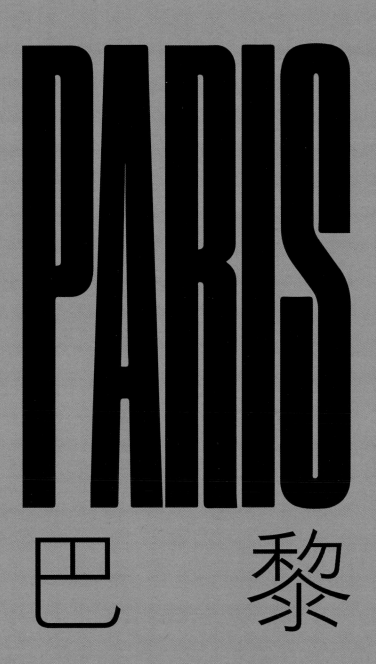

PARIS

巴 黎

浪荡子、心理地理学家、存在主义者、超现实主义者——正是在巴黎，知识分子发明了这些听起来充满异国情调的现代都市身份，也是在巴黎，我们现在所认识的街头摄影诞生了。

150 多年以来，巴黎市民在他们的城市里生活，就像从事着一份舞台事业。宽敞大方的林荫大道用来散步，拱廊用来逛街浏览橱窗，花园铺排开来，夹杂着周末闲话和玩掷地球的念头。一旦相机速度快得足够将巴黎人定格在玻璃板或胶片上，摄影师们就迫不及待地开始拍摄这些小型剧场——以及各式各样的公共表演。近年来，街头摄影的大旗可能已经由更坚韧的城市接手了，但如果有一个可以连续几天行走和拍摄的机会，很少有街头摄影师会对巴黎说不。

这份花名册——上面刊登着将这座光之城变成自己的家和摄影游乐场的超级摄影天才——可谓传奇：尤金·阿杰特（Eugène Atget）、雅克·亨利·拉尔蒂格（Jacques Henri Lartigue）、布拉塞、安德烈·柯特兹、罗伯特·杜瓦诺、维利·罗尼（Willy Ronis）、爱德华·布巴（Édouard Boubat）、艾迪·凡·德·埃尔斯肯（Ed van der Elsken）。所有这些人都拍出了各具特色的作品，将巴黎街头生活的生机活力提升至神话地位。巴黎大堂购物区（Les halles）的集市混混，卢森堡公园秋日的神秘感，塞纳河畔嬉戏的孩子，匆匆走过巴黎圣母院的神职人员，以及其他许多反复出现的画面，已经成为那些赋予它们存在的伟大摄影师的代名词。

当然，玛格南也为这场视觉盛典加入了自己的一份才华横溢的名单。瑞士摄影记者勒内·布里，曾拍摄过卡斯特罗时代早期的古巴，一生大部分时间都用来探索自己家乡的各个地区。1950 年，一个穿着整洁的小男孩拿着一根和他一般高的法棍，抬头看向一栋楼，也许正在聆听妈妈的交代："再买点黄油，宝贝。"布里带着爱意校准过的城市看起来还很从容，并不急于冲向一个美国化的未来。

亨利·卡蒂埃-布列松跟巴黎的关系比较复杂，尤其因为他经常一年中好几个月都在亚洲度过，而且他可能更专注于同日渐后撤的殖民地前哨相关的人文主义专题摄影。他的档案里包含近 1,000 张巴黎照片，但他从来没有出过一本专门呈现巴黎的摄影书，为他之前的摄影群星创造的经典锦上添花。他一再催促杜瓦诺（巴黎街头摄影的"领班"，也是一位了不起的朋友）加入玛格南，但杜瓦诺无法想象自己世界各地跑任务。他更乐意让自己和相机为他熟悉、喜爱的当地人所吸引。

在他紧邻杜乐丽花园的公寓里，卡蒂埃-布列松让自己的画家直觉接手，用都市风格和文雅气质，对着这个世界著名的检阅场拍下了许多照片。他也被塞纳河迷住了；在它的季节性洪水中，河水轻拍这座城市的历史中心，这些都被这位摄影师年复一年地、诗意地记录了下来。

历史上，巴黎一直是革命中心，抗争传统和街垒战是其身份特征的一部分。就像伟大的法国小说家维克多·雨果和奥诺雷·德·巴尔扎克从 19 世纪巴黎工人阶级起义中寻找灵感一样，一些玛格南摄影师也在前线见证了 1968 年那场划时代的运动。当时在左岸街道上，大型抗议活动爆发，学生与警察对垒。从布鲁诺·巴贝在那段时期留下的底片印样，可以看到一个摄影师一再地在运动镜头里正中靶心，但也可以看出他对日常生活场景同样感兴趣。日常生活与狂暴的警察、街道上扔出的自制汽油弹和鹅卵石撞到了一起。

最近十年左右，两位玛格南摄影师——俄罗斯人格奥尔基·平卡索夫和英国人马丁·帕尔——运用彩色摄影让巴黎的另一面绽放异彩。因为有着绵延的石头街景，没有哪座城市比巴黎更适合灰度图像了，但平卡索夫和帕尔只有用三原色光模式才能够传达出一个地方的真实。

平卡索夫的巴黎是由众多交错表面构成的网络，有时是立体派的，有时则是一系列像罗斯科的作品那样热闹纷呈的色块。你会认为这是摄影师自己的家乡，因为他把这座城市经纬交叉的角落呈现出来了，而游人是看不到这些的。巴黎以"光之城"闻名，是由于它在 18 世纪卓越的学术成就和科学发现，但对平卡索夫来说，代表巴黎的光是彩色的，而且，在合适的人手中，它将具有无限的可塑性。

勒内·布里　卢森堡公园，巴黎，法国，1950

第 258 页：古·勒·盖莱克（Guy Le Querrec）　工人学生游行、第五区或第六区、巴黎，法国，1968（局部）

布鲁诺·巴贝 学生向警察抛掷杂物，第六区，巴黎，法国，1968

　　与平卡索夫一样，马丁·帕尔也运用摄影技艺来探索巴黎游客较少的地方。这座城市与理想化的、浪漫化的街头摄影过度关联，帕尔的照片则与之形成鲜明对比，他在 2011 年用大量时间记录了穆斯林聚居地古得多街区（Goutte d'Or）的文化多样性。在与伊斯兰文化协会的合作中，帕尔拍摄了室外礼拜五祷告仪式——这时，整条街满满的都是礼拜者。比起许多同事，帕尔拍摄巴黎的题材范围更广泛，他还拍过赛马、时装周 T 台秀，以及被忽悠得七荤八素的游客等等社会场景。

　　一些摄影师认为，他们存在的目的就是向我们展示一座城市如何躁动不安、充满活力，人为环境如何直接影响到居民的心理状态。对这些摄影师而言，要完成这一使命，巴黎已经变成一个很难搞定的城市了。作为一座一眼就能认出的世界都市，它的天际线和街道看起来跟阿杰特时代没什么不同，巴黎已经成为有史以来最难拍摄的城市，在这里最难找到免于俗套的视觉新意。即便如此，在这超现实主义的发源地，在这深邃的思想家和艺术家们从城市的结构中构想出全新现实的地方，当发现玛格南摄影师哈里·格鲁亚特仍然能在这里的无名街巷捕捉到奇异的陌生感和潜伏的恐怖感时，我们也不用感到意外。巴黎也许是"光之城"，但它也是影之城，它的小咖啡馆还在讲述着革命和密谋。

"认为照片是用相机拍出来的，这是一种错觉⋯⋯
照片是用眼睛、心灵和头脑拍出来的。"
——亨利·卡蒂埃-布列松

勒内·布里 埃菲尔铁塔附近的广告牌维修工，巴黎，法国，1962

赫伯特·李斯特 托洛泽街（rue Tholozé）
附近，巴黎，法国，1936

下：勒内·布里 在左岸，巴黎，法国，
1950

对页：大卫·西蒙 巴黎，法国，1935

马克·吕布 巴黎, 法国,
1953

马丁·帕尔 卢浮宫，巴黎，法国，2012

戴维·阿伦·哈维 塞纳河上的法国年轻人，巴黎，法国，1988

马丁·帕尔 巴黎圣母院，巴黎，法国，2012

帕特里克·扎克曼 田原桂一（Keiichi Tahara）的摄影作品在商业交易所墙上的投影，巴黎，法国，2003

格奥尔基·平卡索夫 巴黎，法国，1997

哈里·格鲁亚特　街景，巴黎，法国，1985

哈里·格鲁亚特　拉法叶路上的咖啡馆，巴黎，法国，1985

HERBERT LIST

赫伯特·李斯特

1953 年，德国摄影师赫伯特·李斯特跟朋友住在罗马，他的脚受伤了，好几个星期都没办法离开他们合住的公寓。

李斯特 1936 年从纳粹德国逃亡出来，他是一位受过古典教育的艺术家，也是一位资深摄影师，拍摄街景、风景、艺术家肖像和超现实静物。在 20 世纪 50 年代的罗马，不能到户外去拍摄那生机勃勃的气氛，一定让他觉得像在坐牢。

与另一位也曾困在自己公寓的著名摄影师安德烈·柯特兹一样，通过从高层窗户拍摄，李斯特找到了一种全新的观察都市生活的方式。在他当时居住的劳工阶层街区特拉斯提弗列（Trastevere），人们在街道上嬉戏和漫步，形成的图式不断变换着，一连几个小时，他任由自己沉迷其中。

李斯特使用禄莱福莱相机拍摄人和地点，照片构图精心巧妙，他因此而出名。但直到被困在公寓里，发现了徕卡相机结合长焦镜头带来的速度和随意性，他才感到真正的解放。"我随心任性拍摄的照片——有一种极乐般的感觉，好像它们已经在我的无意识里存在很久了——往往比我费尽心思构图拍出来的更有力量。我一伸手就抓住了它们的魔力。"

李斯特的摄影受到超现实主义者和包豪斯建筑学派的影响，在他那些从高处拍摄的照片里，我们可以看到这两种影响。闪亮的鹅卵石街道为他提供了一块几何画布，他把修女、工人、孩子和恋人都涂抹其上，创造出罗马生活的美味切片，其中许多作品至今都没怎么发表过。

赫伯特·李斯特　举着意大利国旗的小男孩跑向帕拉蒂诺桥（Ponte Palatino），罗马，意大利，1953

第 272 页：**赫伯特·李斯特**　房之影，罗马，意大利，1953

赫伯特·李斯特　玩轮胎，罗马，意大利，1953

"我随心任性拍摄的照片……
往往比我费尽心思构图拍出来的更有力量。
我一伸手就抓住了它们的魔力。"

——赫伯特·李斯特

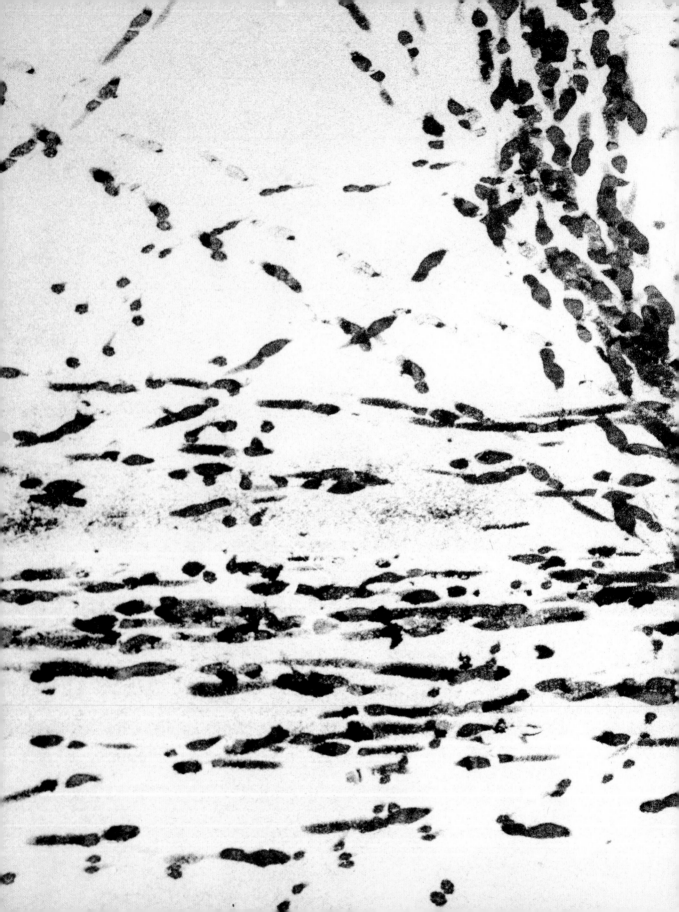

赫伯特·李斯特　博马尔佐（Bomarzo），意大利，1952
第 276—277 页：**赫伯特·李斯特**　慕尼黑，德国，1953

赫伯特·李斯特 特拉斯提弗列，罗马，意大利，1939

CONSTANTINE MANOS

康斯坦丁·马诺斯

康斯坦丁·马诺斯，朋友们都叫他"科斯塔"，是玛格南最年长、最受敬重的成员之一。

现年 86 岁的马诺斯还在做街头摄影师，偶尔在工作坊里传授几十年积累下来的摄影知识，这给他带来很多快乐。他还是照片制作工艺——从曝光到印制的全过程——的忠实信徒。

马诺斯 13 岁加入学校摄影社团，一下子就迷上了摄影。主持这个社团的是一位要求严格的老师，他灌输了一套严谨的摄影方法给马诺斯，这些从此伴随了他的一生。确实，直到最近，在暗房工作都还是他摄影工作的核心——冲洗他自己的胶片，印出他自己的照片。"我觉得，在整个过程结束时能有东西拿在自己手上，是件特别棒的事，"马诺斯说，"我知道许多摄影师在 Instagram 上展示自己的作品，但我不想那么做。我觉得人们忘了照片是实物，印刷在书上或者用好点的相框裱起来挂到墙上，才是最好看的。"

马诺斯最早期的作品可以追溯到 1964 年，当时他穿过铁幕抵达莫斯科，去拍摄一个意在从美国引进专业人才到苏联对口部门的公民交流计划。拍完早晨的会议后，下午他就到街上去，用一台装上黑白胶卷的徕卡相机拍个不停。"我穿着非常宽大的灰色套装和笨重的俄式鞋子，"马诺斯回忆说，"看上去有点像苏联人，在街上拍照也没什么人注意……那两周时间里，似乎整个莫斯科没有一个人注意到我不是他们中的一员。"

近 30 年后，马诺斯仍在使用黑白胶卷进行个人创作，但他也开始觉得需要做点新鲜的东西。他决定改用柯达克罗姆彩色胶片，并在美国寻找拍摄题材。在迈阿密海滩、新奥尔良和威尼斯海滩这样的地方拍摄——这里的人们相对不那么拘谨，马诺斯沉浸在快餐、木板道景点和晒黑的身体所能提供给一个正在留心等待奇迹时刻的摄影师的可能性中。最终的成果就是 1995 年出版的《美国色彩》（*American Color*）一书，续集《美国色彩 2》（*American Color 2*）于 2010 年出版。

"《美国色彩》对我来说是一次重要突破，"马诺斯说，"我已经对黑白作品感到厌烦了，想做一次彻底的改变。那是一个个人项目，不是分派任务，所以我自己出钱，有空时就选一个地方去走走。我有意识地寻找一种不同的照片，一种更加复杂的东西，提出问题但不给出答案。"

几年前，马诺斯也抵挡不住数码摄影了；随着高质量数码打印纸的出现，他也放弃了暗室。然后，在得到最新版的徕卡数码相机后，他又回头拍黑白照片了。不过，尽管有这些改变，但还有一点是不变的：马诺斯对美丽而独特的照片的追求，每张照片都应有自己的生命——每张照片都是一首视觉之诗。"我又回到了起点，"摄影师说，"寻找让你屏住呼吸的神奇时刻，从未有过也不会再有的时刻。一张成功的照片，总是一个惊喜。"

"最好的照片是惊喜，是我在潜意识里寻找但直到它们突然出现才认出的影像。"

——康斯坦丁·马诺斯

康斯坦丁·马诺斯　劳德代尔堡（Fort Lauderdale），佛罗里达州，美国，1997

第 280 页：**康斯坦丁·马诺斯**　圣奥古斯丁，佛罗里达州，美国，1981

康斯坦丁·马诺斯　代托纳比奇（Daytona Beach），佛罗里达州，美国，1997
第 284—285 页：**康斯坦丁·马诺斯**　代托纳比奇，佛罗里达州，美国，1997

康斯坦丁 · 马诺斯　代托纳比奇，佛罗里达州，美国，1997

"我最喜欢的照片总是复杂的，它们……
把答案和解决方案留给观者去思考。"

——康斯坦丁 · 马诺斯

康斯坦丁·马诺斯 代托纳比奇，佛罗里达州，美国，1997

康斯坦丁·马诺斯　孩子们在沙滩上玩，苏联，1965
对页：**康斯坦丁·马诺斯**　苏联，1965

SUSAN MEISELAS

苏珊·梅塞拉斯

关心社会中的畸零者，相信作为社会正义的推力的摄影媒介，是苏珊·梅塞拉斯迄今为止摄影生涯的特点。

梅塞拉斯出生于马里兰州巴尔的摩市。她在公立学校教摄影，在她拍摄的社区分享自己的作品，致力于探索她的摄影将如何推动自己和更广泛的公众去了解那些因阶级、种族与性别而被边缘化的群体。

很难想象那些打扮成圣诞老人的人是边缘群体，但在1976年底——当时她住在曼哈顿小意大利——梅塞拉斯注意到，在她居住的街区，靠近包厘街的地方，有一群群男子穿上红色毛毡衣服，戴上白色胡须，然后消失在上城。这自然引起了她的好奇，她发现这些男子住在一个流浪汉收容所里，他们在假期里筹款。

"1976年感恩节，我在住的地方附近遇到了一些打扮成圣诞老人的男人。他们在收容所的餐厅穿好衣服，然后沿着第五大道走到曼哈顿中城，为资助他们收容所的美国志愿者协会募款。他们主要是一些家境困难的酗酒者。我用了三周时间跟拍他们，从清晨到晚上他们回家……我真觉得这很有意思，这些人居然能通过打扮成圣诞老人梦想成真，而且事实上那些捐款的人并不知道他们的背景。"

这是梅塞拉斯在加入玛格南前——也是在她的中美洲报道之前——自发做的一个项目。她正是在中美洲崭露头角的，作为一名记录尼加拉瓜和萨尔瓦多暴政反抗运动的独立摄影师而出名。那时她也才刚刚完成了一个关于新英格兰狂欢节脱衣舞女郎的著名系列报道。

"当时我想了很多关于统一着装对某些人的保护的问题——人们如何利用服装道具，在不暴露完整自我的同时向世界呈现一个功能性自我。狂欢节脱衣舞女郎就是如此，而打扮成圣诞老人的男人也是。我当时打算继续拍这个作品，在节日之外的时间跟拍他们，看看他们的生活发生了什么。但中美洲动荡中断了这一切，把我带到一个完全不同的方向。如今曼哈顿那个片区已经完全变了。基本上所有收容所都已经被博物馆、豪华旅馆和品牌商店取代，因此反讽意味很浓。"

梅塞拉斯自20世纪70年代以来的大部分作品都属于更具社会参与性、纪实性的类型，为她赢得了各种高规格的摄影奖项提名，但她仍然对自己身边的居民保持兴趣。千禧年之际，梅塞拉斯得到一个机会，可以利用纽约街头，自己选择一个拍摄项目。于是她决定考察女性如何利用自己的时间，尤其是休闲时间。她最终使用了系列全景快拍的方式。

"这是个很宽泛的委托任务，我知道我是想要一个借口，可以在街上到处走走看看，但我也想找到一种最合适的相机画幅和拍摄主题，从而与加里·威诺格兰德和罗伯特·弗兰克等人的经典纽约街头摄影区分开来。这些都是真正的街头摄影作品，遵循着那种我不懈追求的传统——在形式元素中寻找并置和反衬，但这真的很难，因为大画幅相机需要很多画面内容来填充。这个挑战很棒，因为它迫使我每天上街去走，让我更专注地看，并且为观看增添了另一个维度。"

苏珊·梅塞拉斯　无家可归者打扮成圣诞老人挣钱，纽约，纽约州，美国，1977
第 290 页：苏珊·梅塞拉斯　纽约，纽约州，美国，1977（局部）
第 292—293 页：苏珊·梅塞拉斯　洛克菲勒中心，纽约，纽约州，美国，1977

"这些都是真正的街头摄影作品，
遵循着那种我不懈追求的传统——在形式
元素中寻找并置和反衬。"

——苏珊·梅塞拉斯

苏珊·梅塞拉斯　纽约，纽约州，美国，1977

苏珊·梅塞拉斯　纽约，纽约州，美国，1977

苏珊·梅塞拉斯　第五大道，纽约，纽约州，美国，1999

INGE MORATH

英格·莫拉斯

直到最近几年，才有一大批女性摄影师参与到街头摄影的全球热潮中来。

街头摄影史上的许多关键人物，比如莉塞特·莫德尔（Lisette Model）、薇薇安·迈尔和海伦·莱维特，都证明了女性摄影师跟男性摄影师一样适合在公共场所拍摄快照。

英格·莫拉斯就是这样一个人物。莫拉斯出生于奥地利格拉茨市（Graz），20 世纪 50 年代初移居美国，2002 年去世。她先是加入玛格南担任编辑，后来又成为亨利·卡蒂埃－布列松的研究员，1955 年成为图片社的摄影师。莫拉斯起初对自己的能力缺乏信心，在第一批照片中，她用了笔名"Egni Tharom"——她自己的名字倒过来写。

"个人的视觉风格通常从一开始就存在了，"英格·莫拉斯在《作为摄影师的生活》（Life as a Photographer，1999）一书中写道，"一种背景和感觉、传统和对传统的弃绝、感性和窥视之间的特殊化学反应的结果。你信任你的眼睛，情不自禁地袒露你的灵魂。一个人的视觉风格必然会找到适合表达它的形式。"

作为卡蒂埃－布列松的研究员，莫拉斯对他发回玛格南办事处的底片印样十分着迷。"我想，通过研究他的拍摄方法，"她说，"我在自己拿起相机前已经学会了怎么去拍。"

莫拉斯对艺术史也很感兴趣，她说她的构图技巧是在卢浮宫、冬宫博物馆和普拉多博物馆花时间学习来的。这种艺术感受力在她于 20 世纪 50 年代中期在西班牙拍摄的作品中得到了巧妙的表达，这里展示了其中一些照片。莫拉斯走遍西班牙各地，发现那里的社会与土地和教堂还保持着非常紧密的联系——驴子在小镇的鹅卵石路上漫步，吉卜赛家庭在宗教节日期间乞讨施舍。

"我第一次看到西班牙就对它产生了一种浓厚的感情。我突然被一种意识击中，有种东西难以解释地激起了我内心深处的情感，我重新回到了每个毛孔都打开的小时候，等待着一次重要的相遇。"

当卖彩票的人打着盹儿，假发店拉下百叶窗午休，超现实的力量蓄势待发，像魔鬼一样，马上要唤出她那更加神秘的西班牙照片。部分照片受到弗朗哥政权审查，不过莫拉斯最终还是成功出版了三本以西班牙之行为题材的摄影集。

在她去世之后，玛格南设立了年度英格·莫拉斯奖，每年授予一位年龄 30 岁以下的女性摄影师，以支持她们完成一个长期项目。目前，该奖项已帮助推出了许多令人振奋的新秀。莫拉斯肯定会同意设立这个奖项，因为她自己的摄影生涯正要归功于她从一位玛格南天才那里学到的东西。

英格·莫拉斯　西班牙，1955

第 298 页：**英格·莫拉斯**　彩票小贩的午休，马德里，西班牙，1955

对页：**英格·莫拉斯**　塔拉萨，西班牙，1955

英格·莫拉斯　马德里，西班牙，1957

英格·莫拉斯 圣费尔明节（Fiesta de San Fermin），潘普洛纳，西班牙，1954

TRENT PARKE

特伦特·帕克

参阅你最喜欢的街头摄影网站，很快你就会发现，来自南澳大利亚州阿德莱德市的特伦特·帕克是全世界最具创造力的街头摄影师。

帕克是个革命性人物，不仅由于其照片的特质，也因为他对摄影技术边界的持续实验。在对这一媒介表现能力的探索中，视点、快门速度和曝光不断被推到极限。对帕克来说，光不仅仅是一种照明来源，还是一种可以拿来把玩的东西。

在2013年的项目"相机是上帝"（The Camera is God）中，帕克在阿德莱德市威廉国王街街角架起三脚架和胶片相机，在一年内的几乎每个晚高峰期间拍摄通勤者的照片。使用快门线控制快门，帕克玩的是概率游戏，制作出大量模糊和颗粒感十足的图像，画面上是心事重重的城市居民。挑选出来的照片以大型网格方式呈现，成就了一次备受赞誉的展览。

"我的大部分主题，"帕克说，"都围绕着时间这个概念——街角一个转瞬即逝的时刻如何象征个体生命的短暂。项目的标题'相机是上帝'，显然代表了伟大的全知之眼，并论述了这个事实：我们生活在一个人人都是摄影师、万事万物都在被观察被捕捉的时代。而且，它还指涉那些记录着我们日常生活一举一动的视频监控系统。

"我在同一个街角连续拍了一年，看着同样的人在同样的时刻来来去去，就像陷入了奇怪的时间错位中……每次我都会按下快门，一次拍完一卷胶卷，曝光时间4~8秒，让相机持续拍摄……因此不管谁走进景框都会被拍进去。进展顺利的话，一天可以带回大概30卷拍好的胶卷，然后进行手工处理并开始编辑，仔细将那些看起来都是人的照片挑选出来。

"尽管我一直都使用胶片，但这些照片的制作离不开数字技术。它们是用35毫米胶片拍摄的，然后用高分辨率的扫描仪扫描，这就是为什么我能把这么小的碎片从底片中挑拣出来，并把这些颗粒放大到如此极致的比例。这在暗房里用手工是做不到的……数字技术让我能够制作这些照片，但也只有在与传统手段相结合的时候才能做到。

"我拍街头已经快20年了，即便这样……每天我还是得强迫自己出门。尤其现在这个时候，人们知道我在拍他们。人们的反应各种各样，无法预测，从生气皱眉……到秀肌肉，以及很有舞台感的个人表演。这就是街头。相机某种程度上把这一切都拽进了它的视野中。"

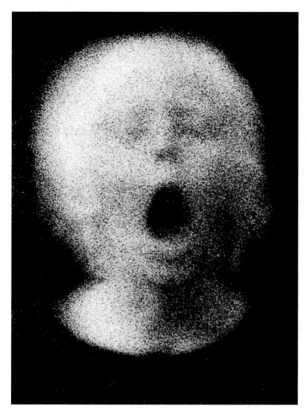

特伦特·帕克 376 号，阿德莱德，澳大利亚，2014
第 306 页：**特伦特·帕克** 538 号，阿德莱德，澳大利亚，2014
对页：**特伦特·帕克** 011 号，阿德莱德，澳大利亚，2014

特伦特·帕克 225 号，阿德莱德，澳大利亚，2014

"数字技术让我能够制作这些照片，但也只有在与传统手段相结合的时候才能做到。"

——特伦特·帕克

MARTIN PARR

马丁·帕尔

想要跟踪记录街头摄影近 40 年的持续革新再造，或许应该从马丁·帕尔开始。

帕尔因在摄影能够、应该以及可能表现什么方面进行精明的超前实验而出名，他是个不安分的人，"为什么不？"的态度引领他去探索许多不同主题和视觉呈现方法。无论是在海滩上使用环形闪光灯，还是刻意寻找"无聊"的拍摄主题，帕尔总是自豪于成为一个拍摄人们如何生活的摄影师。

帕尔的处女作《坏天气》(*Bad Weather*，1982)，拍摄于爱尔兰和英国北部，尽管显得沉闷，却是他摄影生涯勇敢的开端。这本书让他得到在伦敦一家画廊举办展览的机会，但照片本身并没有获得多少关注。这是很可惜的，因为这些照片打破了从 20 世纪 50 年代就开始主导摄影界的经典 35 毫米拍摄范式。《坏天气》表明，街头摄影能够把玩思想。对正统主义者来说，这就跟鲍勃·迪伦开始玩电子乐一样。

"二十岁出头的时候，"帕尔说，"你身上总有一部分在反抗，对现状感到愤怒——不是说我是个愤怒的人，但那时我确实想颠覆摄影的规则。因此在 20 世纪 70 年代后期，我借了一台水下摄像机，决定只在坏天气下拍摄。我很喜欢这个有关英国的全国性困扰——'天气'——的想法，并通过摄影来讨论它，同时也审视了传统摄影师只在'光线好'的情况下拍摄这个问题。

"摄影师都喜欢迷人的、令人愉悦的、漂亮的、充满异域风情的画面……我自己也是。但在职业生涯的这个时期，我真的很喜欢探索平淡、日常和无聊的一切……《坏天气》没有被很好地接受……但它确实让我在摄影师画廊 (Photographers' Gallery) 举办了一次展览。我还记得当时墙上挂着些雨伞；我甚至可能是作为一把雨伞去参加了开幕式！那时我对摄影的概念可能性真的很感兴趣。"

1994 年，帕尔成为玛格南正式成员，那时他已经以那些中画幅彩色作品闻名于世了，例如《最后的度假胜地》(*The Last Resort*, 1986) 和《故乡和国外》(*Home and Abroad*, 1993) 这些书里的作品。他仍然非常高产，非常有创意，最近几年他完成了一些长期纪实项目，更符合玛格南的人文情怀。例如专题报道英国中部的《黑乡故事》(*Black Country Stories*, 2012)，表明了他对这个地方和当地人的真诚投入——在一些批评家看来，这本来是他的摄影所缺乏的。

"我花了四年时间拍摄黑乡，拍拍停停……我当时还有多样故事 [Multistory，一家与艺术家合作的慈善机构，总部设在西布罗姆维奇 (West Bromwich)] 的拍摄任务在身，但经常留下来做自己的事……我喜欢人，喜欢拍摄他们，尽管别人可能不这么认为。但我就是忍不住，而且我觉得没有必要被限制，因为我喜欢拍摄各种类型的照片。"

马丁·帕尔　奥康奈尔桥（O'Connell Bridge），都柏林，爱尔兰，1975

第 312 页：**马丁·帕尔**　奎恩斯沃斯斯超市（Quinnsworth supermarket）入口，斯莱戈（Sligo），爱尔兰，1982（局部）

第 314—315 页：**马丁·帕尔**　阿戴尔购物中心（Arndale Centre），曼彻斯特，英格兰，英国，1975

"我真的很喜欢探索平淡、日常
和无聊的一切。"

——马丁·帕尔

马丁·帕尔　约克郡，英格兰，英国，1981

马丁·帕尔 圣乔治节游
行，西布罗姆维奇，英格
兰，英国，2010

他们如何拍摄

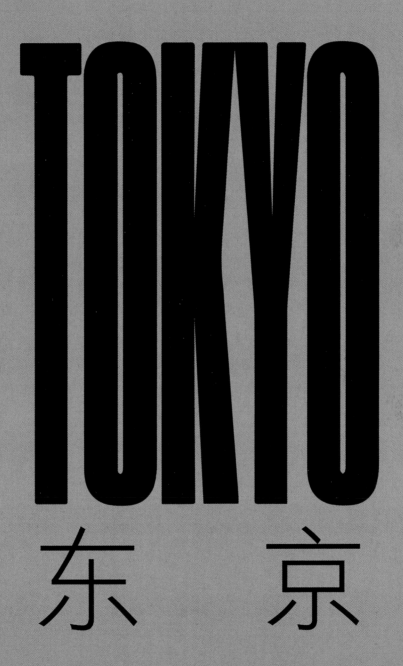

TOKYO

东　京

多年来，许许多多摄影师都表现出一种渴望，想去大都市东京的涩谷、新宿、原宿等著名街区，在那些热闹拥挤的大街小巷上拍照。

近几十年来，森山大道、金村修（Osamu Kanemura）、深濑昌久（Masahisa Fukase）、北岛敬三等当地摄影师创作了大量作品——有展览也有摄影书，以独特的艺术手法记录东京和东京人的生活。与此同时，许多海外摄影师也加入了他们的创作行列。

玛格南现在设有办事处的四个城市里，东京是人口最多、最具未来感的，而且在某些方面还是最难用相机定格下来的城市。东京首都圈居住有 3,700 万人口，这里在二战期间曾遭到毁灭性破坏，此后，这座城市涅槃重生，并开始扩张，进入持续发展状态。伦敦和巴黎这些城市拥有强力且延续的视觉身份特征，在拍过这些城市之后，如何提升自己的摄影艺术水平成了摄影师的一大难题。而对于直面这一难题的摄影师，东京提供了不一样的东西：一种找到人类创新源泉并与之互动的机会，正是这种创新源泉为一个缺乏历史辨识度的城市提供了动力。

特别是克里斯·斯蒂尔–珀金斯、雅各布·奥厄·索博尔（Jacob Aue Sobol）和布鲁斯·吉尔登三位摄影师，他们创造了令人回味无穷的东京摄影画册，成功传递了东京与东京人的能量。还有他们的许多同事，比如哈里·格鲁亚特、保罗·佩勒格林、亚历克斯·韦伯和格奥尔基·平卡索夫，也把他们的目光投向了东京的街头生活。

玛格南所有成员里，与东京联系最紧密的可能要属克里斯·斯蒂尔–珀金斯了，他在那里与自己的妻子相识并结婚，后来又在那里生活了几年。无论是为玛格南拍摄，还是自己拿着相机无目的地在这座城市漫步，斯蒂尔–珀金斯记录了这样一座满足于自身过量的视觉要素、着迷于各种技术新发明的城市。在《东京·爱·你好》（Tokyo Love Hello，2007）一书前言中，他写道："对我而言，东京是一种精神状态，这跟说'东京是一个地方'的程度是等同的。我的意思是，我的东京不是别人的，它被我所有的偏见和喜爱着上了色彩。肯定是

基于现实的，但某些方面又出自虚构……来到这里，你不知道你在哪里，你是谁。你就是我，但你不认识我。所有东西都不像它看起来的那个样子。你在街角徘徊，窥视生活，迷失在一连串擦肩而过的邂逅、倒影、屏幕、幻觉之中。寻找着，观看着，希望着。为了什么？真？美？爱？你走了漫长的一天，就像过了许多年，然后滑入夜晚：作为一个陌生人，在一座你觉得似曾相识的城市。你不知道这里，但或许你又知道。"

在布鲁斯·吉尔登拍摄东京和大阪的摄影书《走》（Go，2000）里，我们可以看到摄影师混入了犯罪团伙和街头黑帮，他们身上的文身、断指和伤疤代表着地下世界的荣誉，这是西方人很少会有的经历。对比其他许多对这座城市的视觉呈现，吉尔登的东京看起来远没有那么井然有序，东京人远没有那么毕恭毕敬。作品在洛杉矶徕卡画廊（Leica Gallery）展出时，吉尔登说："1964 年我在纽约现代艺术博物馆看了一个非常棒的展览，名叫'新日本摄影'（New Japanese Photography），实在太惊艳了。我想如果他们能在日本拍出这么好的照片，那日本一定是值得去拍照的好地方。这个念头一直在我脑袋里，直到 21 年后我才真正去到那里！当然，1994 年当我到达东京的时候，它看起来跟我以前在照片里看到的那个东京已经完全不同了。"

来自丹麦的雅各布·奥厄·索博尔，跟随爱人到了东京，并把他的经历记录在《我，东京》（I, Tokyo，2008）一书中。书籍出版的同时，照片也在巴黎波尔卡画廊（Polka Gallery）展出，他在展览中写道："2006 年春天我第一次去东京。我女朋友萨拉在东京找到了一份工作，因此我决定去那里和她一起生活，去更深入地了解她长大的城市。那个社会环境是我从来没有经历过的，我对它几乎一无所知，也没有真正的感情……虽然东京和东京人看起来难以靠近，我还是被那种紧凑、逼仄的大都市现实吸引住了。疏离感和孤独感让我喘不过气来，我必须想办法改变。因此在上街或到公园去时，我就带上口袋相

布鲁斯·吉尔登 抽烟的男子，东京，日本，1999

伊恩·贝里　浅草节上的年轻女孩们在分享美食，东京，日本，1999
第 320 页：克里斯·斯蒂尔－珀金斯　硬纸板剪纸与看戏人群，浅草，东京，日本，2009
第 323 页：雅各布·奥厄·索博尔　东京，日本，2007

机。我不再专注于高楼大厦和永不停歇的人潮，相反，在这座
既吸引人同时又具有排斥性的城市里，我开始寻找狭窄小路和
个体的存在。我想认识这些人，跟这座城市发生联系，让东京
成为我的东京。"

　　奥厄·索博尔那些紧张的、让人感到幽闭恐怖的照片，向
我们展示了一个夜色下的东京，跟《银翼杀手》式的场景或者
社交媒体为我们呈现的时装展览里的那个东京迥然不同。在他

的一些抓拍于无名街巷的照片中，这座城市给人的感觉就像一
艘宇宙飞船，人都被吞到管道和缆索里去了。

　　对来自世界各地的街头摄影师而言，东京根本上仍是一个
不可知的，但却极其诱人的拍摄地。但那些玛格南摄影师已经
把个人经验带入了这个最大胆的都市实验，让我们看到，我们
的未来至少涉及一小部分的东京。

马丁·帕尔　迪士尼乐园，东京，日本，1998

马丁·帕尔　迪士尼乐园，东京，日本，1997
对页：亚历克斯·韦伯　东京，日本，1985

保罗·佩勒格林　东京，日本，2010

"虽然东京和东京人看起来难以靠近，
我还是被那种紧凑、逼仄的
大都市现实吸引住了。"
——雅各布·奥厄·索博尔

保罗·佩勒格林　东京，日本，2010

哈里·格鲁亚特　上野，东京，日本，1996

格奥尔基·平卡索夫 赤坂见附站，东京，日本，1996

"我的东京不是别人的，
它被我所有的偏见和喜爱着上了色彩。"

——克里斯·斯蒂尔-珀金斯

GUEORGUI PINKHASSOV

格奥尔基·平卡索夫

拥有一种真实且独特的视觉风格——一种个人美学——是有抱负的摄影记者最热衷的追求。

比尔·布兰特（Bill Brandt）、沃克·埃文斯、李·弗里德兰德、亨利·卡蒂埃－布列松都有这种个人美学。出生于苏联的格奥尔基·平卡索夫也有，他的许多玛格南同事都会告诉你，他们从一英里之外就能认出他的照片。当你琢磨着，平卡索夫加入玛格南后的照片怎么变得那么多样化、那么任性时，其实是在赞美他。

无论是在严寒、单色调的莫斯科，还是在温暖的塞维利亚，平卡索夫的照片都有一种挑衅构图逻辑感的东西。确实，他最广为人知的照片，有许多都充满了各种各样的视觉平面和不确定光源，但它们常常超越光学的烟花效果，传达出一种特定的感受力——一种靠近拍摄对象的方式，受塑于深厚的艺术腹地和对照片可能潜伏之处的神秘理解。这种世界观相当于对世界的"再魅化"，并把照片看成融入世界的回报。

平卡索夫最具影响力的作品集之一拍摄于 1996 年的东京之行。对一个刚刚离开俄罗斯与世隔绝的非商业化世界的人来说，那次旅行是一个探索的机会，看看在一种截然不同的背景下是否可能进行艺术性拍摄。"东京之行是我的梦想，"平卡索夫说，"以前很难去那里，尤其是从苏联，那里没有移动电话，而且日本当时还是个相对封闭的国家。我最感兴趣的是，日本在 20 世纪与西方世界接轨之前是什么样的，正宗的日本风格是什么样的，日本艺术和文化的传统又是怎么样的，以及，我能否通过摄影进入其中。"

在莫斯科国立电影学院完成学业后，平卡索夫先在一个电影工作室工作，后来作为布景摄影师跟前卫导演安德烈·塔可夫斯基一起工作。塔可夫斯基建议平卡索夫到莫斯科街头去拍摄，寻找自己的艺术声音，因此接下来几年，平卡索夫成为全职街头摄影师和摄影记者，记录了苏联时代筋疲力尽的最后时光。

1988 年移居巴黎并加入玛格南后，平卡索夫欣然接受了他的偶像亨利·卡蒂埃－布列松有关业余精神的建议，作为一种精神振奋剂来抵抗自满和金钱导致的让步。"与亨利相仿，我更喜欢做一个业余摄影师，"这个俄罗斯人说，"那样我就能自发行动，将我的眼睛与头脑和心相连。我没有将商业拍摄和个人拍摄区分开来，因此我确实会拍一些专业任务，作为去新地方的借口。惊喜哪里都有，在每个机会中都可以发现创造性……摄影不再是胶片的化学反应和配有运动部件的机器的机械过程。摄影是关于谁最有能力看到一张照片。"

《精·简》（*Sophistication Simplification*，2017）这本摄影集的照片是用苹果手机拍摄的，并首先在 Instagram 上发布。通过这本书，平卡索夫进一步定义了他的个人摄影哲学："除了内容，让我感兴趣的是卡蒂埃－布列松称作'几何'的那种东西。诗在隐喻出现之处。不可能通过安排让它出现；它在拍摄过程中形成，捕捉那种韵律……不管我的照片多么抽象，里面总有一丝真实的内容。我允许自己裁剪照片——即使我很少这么做，但我绝不容许任何使用 Photoshop 的人为操作。在我看来，如今，即使黑白摄影也不过是一张面具罢了。但它曾经是一种摄影理念。"

Instagram 这种社交网络有个有趣的副产品，那就是我们

格奥尔基·平卡索夫 旅馆阳台，安达卢西亚，西班牙，1993
第 334 页：**格奥尔基·平卡索夫** 上野站，东京，日本，1996

现在有了一种不同的衡量标准来判断一个摄影师的"重要性"。在这种标准下，拥有 10 万以上粉丝的平卡索夫是个超级巨星。不过他很理智地意识到，这些数字只不过是一种数据代币大杂烩，在评估一个人的重要性的艺术殿堂里，这是不算数的。"受欢迎没什么价值，"平卡索夫说，"大众主义是关于大众文化的。到最终，只有那个始终跟随我的小团体才会真正对我做的东西感兴趣。所以说观众规模是无法强求的。我不指望这些，虽然我觉得它的形成过程还挺有趣的。"

不管使用什么形式，平卡索夫终究是玛格南摄影师，他拥抱由这一媒介内部的新发明不断带来的艺术自由。

"诗在隐喻出现之处。不可能通过安排让它出现；它在拍摄过程中形成，捕捉那种韵律。"

——格奥尔基·平卡索夫

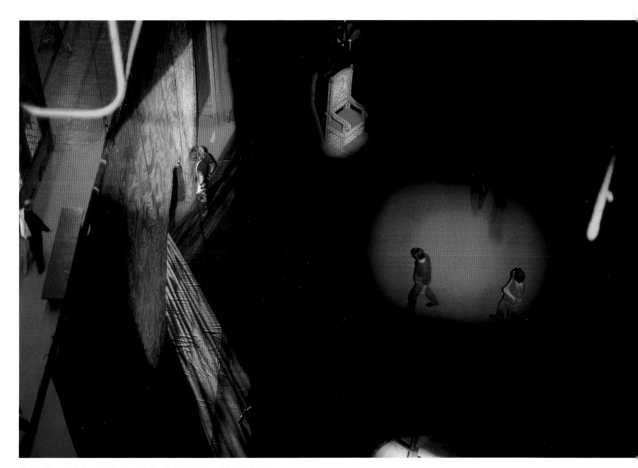

格奥尔基·平卡索夫　演出前的灯光排练，莫斯科大剧院，莫斯科，俄罗斯，1994

格奥尔基·平卡索夫　无题，选自《精·简》，2017

格奥尔基·平卡索夫　无题，选自《精·简》，2017

格奥尔基·平卡索夫　无题，选自《精·简》，2014

第 340—341 页：**格奥尔基·平卡索夫**　布莱顿海滩，布鲁克林，纽约，纽约州，美国，2007

CHRIS STEELE-PERKINS

克里斯·斯蒂尔-珀金斯

20 世纪 70 年代是英国纪实摄影的黄金时代。

在 20 世纪 70 年代的英国，克里斯·斯蒂尔－珀金斯（70 年代末加入玛格南）成为一个具有人文关怀精神的摄影师网络中的关键一员。他们一起在英国拍摄报道，当时英国正深陷北爱尔兰的政治危机，无法与当地的爱尔兰人和解，也不知道自己是否想成为欧洲的一部分。虽然其中的克里斯·基利普（Chris Killip）、保罗·特雷弗（Paul Trevor）、约翰·戴维斯（John Davies）和费伊·戈德温（Fay Godwin）等人都不是玛格南成员，但他们跟伊恩·贝里、戴维·赫恩、马丁·帕尔这些人的关系是那一时期英国摄影取得成功的关键。

斯蒂尔－珀金斯在 20 世纪 70 年代初学习摄影，一开始就决定将自己的政治和道德世界观作为摄影的基础。他早期关于英国穷人社区、青年亚文化的作品，得到了约瑟夫·寇德卡的注意，他也因此受寇德卡之邀加入玛格南。成为玛格南成员后，他在黎巴嫩、非洲、阿富汗和中美洲继续拍摄充满力量的报道和专题，也创作了一些广受好评的书籍，举办了几次优秀的巡回展览。

这里的照片来自斯蒂尔－珀金斯加入玛格南之前的一个项目——关于 1975—1977 年伦敦街头节日的调查。除了向我们展示一个与今天这个车水马龙的大都市迥然不同的伦敦，这个作品还呈现了斯蒂尔－珀金斯职业生涯里的一段时期，当时他正在学习如何将快速拍摄和醒目构图等街头摄影的诀窍用于纪实摄影。

"那是我作为摄影师的成长期，在拍摄这些街头狂欢、跟'泰迪男孩'（Teddy boy，一种英国亚文化现象。20 世纪 50 年代在伦敦开始形成，随后在英国各地迅速蔓延。——编者注）们一起工作时，一定程度上我是在训练自己。在这些拍摄过程中学到的东西，后来被我应用到工作中，比如拍新闻报道。拍摄带有快速移动元素的公共事件，你必须尽可能领先一步。而在狂欢节场面上，你要学习怎么在群体空间中拍摄，怎么利用光线和你身处其中的人群的活动，为那些希望能一起出现的画面做好准备。"

在脱欧时代的英国，斯蒂尔－珀金斯照片中那些曾是街区生活关键特征的社区街头狂欢活动，看起来已经有点老古董了。空气中有一丝轻浮无聊，但也能感到黑暗日子就在跟前。确实，尽管一些观众或许会觉得这种模棱两可的感觉让人困惑，但这就是斯蒂尔－珀金斯明确渴望达到的质感。

"作为摄影师，我一生的工作有赖于不设工作安排，"他说，"这就是为什么我不想成为'战地摄影师'。如果我去到比如阿富汗这样的地方，我没办法跟那些冲向炮火的人一样——他们表现得好像'在前线'这个事实本身就能揭示那个围绕着他们的、更伟大的故事。我更喜欢跟普通人在一起，看看周边在发生些什么，而不是去确认一个被证明过的论点。我也喜欢我照片中那种模棱两可的感觉，因为生活就是这样。如果这让别人失望，我也没关系。"

克里斯·斯蒂尔-珀金斯　哈克尼狂欢节，伦敦，英格兰，英国，1975
第 342 页：**克里斯·斯蒂尔-珀金斯**　东区街头节日，伦敦，英格兰，英国，1975

"我也喜欢我照片中那种模棱两可的感觉，因为生活就是这样。如果这让别人失望，我也没关系。"

——克里斯·斯蒂尔-珀金斯

克里斯·斯蒂尔－珀金斯　社区节上赛老鼠，伦敦，英格兰，英国，1976

克里斯·斯蒂尔-珀金斯 乐队女鼓手队长，伦敦，英格兰，英国，1975

克里斯·斯蒂尔－珀金斯 诺丁山嘉年华，伦敦，英格兰，英国，1975

"拍摄带有快速移动元素的公共事件，
你必须尽可能领先一步。"

——克里斯·斯蒂尔-珀金斯

克里斯·斯蒂尔－珀金斯　诺丁山嘉年华，伦敦，英格兰，英国，1975

克里斯·斯蒂尔－珀金斯 卡姆登区街头节日，伦敦，英格兰，英国，1975

对页：**克里斯·斯蒂尔－珀金斯** 社区节日，伦敦，英格兰，英国，1975

克里斯·斯蒂尔－珀金斯 呕吐的男子，伦敦，英格兰，英国，1975

NEWSHA TAVAKOLIAN

纽沙·塔瓦科利安

纽沙·塔瓦科利安，出生、成长于德黑兰，2015 年成为玛格南候选成员。

自学成才的摄影师塔瓦科利安从 1997 年开始为伊朗媒体工作，那时她才 16 岁；两年后，她拍摄了 1999 年伊朗学生抗议活动。新闻摄影一直是高风险工作，但塔瓦科利安还是在自己国内完成了大量新闻任务，希望向世界展示她的伊朗同胞是如何改善生活的，尤其是女性。

塔瓦科利安在《纽约时报》和《世界报》上都发表过作品，她同时是出色的人像摄影师，把她在美术方面的敏感运用到了一些个人项目中。但正如这里的照片所呈现的，在拍摄运转中的伊朗社会方面，她从小学来的技艺也发挥了很大作用。

"我还记得 16 岁时我多么没有安全感，因为那时公共场合拍照还不常见，我觉得自己很脆弱。那时，街上能看到的摄影师都是男性，他们为官方新闻机构和报社工作……但我到 18 岁就报道了这里的学生示威活动……我真的很想把这个事情讲述出来，而且我变得无畏无惧，每天都出去拍。等到冲印时……我意识到我对努力捕捉人的情感真的很感兴趣。"

"在伊朗，人们被禁锢在自己的私人生活领域。你一伸头就可能陷入麻烦。有许多年，表现人的感觉是我工作方式的一部分。这个时期，我在街上拍照还不会有什么问题，人们不在乎。警察有时会问一些问题，但人们不会……2009 年之后就变了，那时示威者的照片可能会被用来对付他们自己，或者追踪别人。结果人们失去了对摄影师的信任。"

过去十年，相对富有的中产阶级在伊朗崛起，这让塔瓦科利安有了许多新鲜有趣的拍摄主题可以深入探索。但在公共场合摄影并没有因此变得容易一些，人们仍然非常谨慎，担心他们的照片被利用。

"伊朗中产阶级对他们的照片非常小心和敏感。这可能源于他们对照片被用作政治宣传工具的历史记忆……年轻一代不一样，比较不介意被拍，因为他们身上没有那种沉重的包袱。我最好的作品都是在我跟拍摄对象的关系状态让我感觉舒服的时候拍的……在我的作品中，花时间和人们相处这点起到了最重要的作用。

"我正在准备一本新书……用我的旧档案、胶卷和底片印样。我翻看这些资料时，最震惊的是——我以前有多么热切啊……各种各样的拍摄对象都有。对我来说，这将依旧是我作品中的一个隐喻：从靠近和熟悉的，到遥远的、非常陌生的拍摄对象。"

纽沙 · **塔瓦科利安**　瓦基利（Vakili）一家，伊朗，2017

第 352 页：纽沙 · **塔瓦科利安**　左蕾 · 鲍鲁曼德（Zohreh Boroumand），伊朗，2017

"在我的作品中，花时间和人们相处
这点起到了最重要的作用。"

——纽沙 · 塔瓦科利安

纽沙·塔瓦科利安 星期五下午的海滩，伊朗，2017

纽沙·塔瓦科利安　两伊战争重现，伊朗，2015

纽沙·塔瓦科利安　一个女人从烟雾中走过，伊朗，2015

"等到冲印时……我意识到
我对努力捕捉人的情感真的很感兴趣。"
——纽沙·塔瓦科利安

纽沙·塔瓦科利安 德黑兰巴扎上的买家，伊朗，2015

纽沙·塔瓦科利安　设拉子（Shiraz）巴扎，伊朗，2016

PETER VAN AGTMAEL

彼得·凡·阿格特梅尔

对美国摄影师彼得·凡·阿格特梅尔来说，摄影就是要表达复杂的思想，要在日常中寻找美。

带着对历史的热爱，凡·阿格特梅尔对美国人的身份和权力关系特别感兴趣——正是这些主题为他那正在进行中的系列摄影书提供了一种总体叙事。《窗台上的嗡嗡声》（*Buzzing at the Sill*，2017）一书展示了一个训练有素的摄影师如何运用街头摄影来审视和拷问他身处的世界。这里的照片就出自这本书。

在近期一些探讨街头摄影"如何"以及"为什么"的玛格南项目中，我们发现凡·阿格特梅尔就他更具有问题意识的拍摄实践的定位提出了疑问。"作为一个对摄影表达可能性的广阔范围感兴趣的人来说，街头只是……我打算在摄影中使用的众多形式之一。在你用摄影能做到的事中，街头摄影是一个极其重要但又非常狭隘的部分。在某种方面它是最简单的——你要做的就是拿一台相机走在大街上——但当然在其他方面它又是最难的……你要怎么面对陌生人，以哪些条件让他们配合，如何从毫无秩序的画面中创造出点什么来？"

看那张俄勒冈牛仔竞技比赛后的舞蹈照片，我们能感觉到摄影师提前做好了谋划。"我看到那个红唇女人在跳舞的人群中旋转，"凡·阿格特梅尔解释说，"随着光线逐渐暗下来，她的口红更加突出了。大多数摄影师会下意识地被人群或情境吸引，因此在我的脑海中，我能看到这样一个镜头：她直直看着我，而其他人迷失在他们自己的世界中……我知道有一张照片就在那里，唯一要做的就是等它出现。"

凡·阿格特梅尔记录了近来美国发动的多次军事干预行动，他已经学会了如何在周围环境中找到潜在的美。"那些我在摄影中发现的，以及之前的摄影师们发现的东西，让我看到了一种细察物体和形状并发现美的能力。我看着那些摄影师的作品，他们能在柏油路、停车场或者小水坑这些污脏的东西里找到美。他们能够把这些变成另一种超然的东西……生活很艰难，是美让它变得更容易忍受一些。因此，'任何时刻——比如说在你每天去商店的路上——都能发现美'这个想法对我影响深刻。它让摄影变成一种逃离。"

通过凡·阿格特梅尔的眼睛，即使是底特律冬日阴沉的景象，也会被注入一种悲怆和美的形式。"如果你认为美妙的事物只发生在好光线、好天气里，那你就是个懒惰的摄影师。我的观点是，你首先需要内容，但要跟美感相结合。如果一个画面足够充实，那下一步就是等待结构和光线到来。但如果你一开始就把光线或一个特殊的相机画幅当宝贝似的，那么你就会错过这世上正在发生的99%最有意思的东西。我所知道的最好的摄影师，都有一种对这个世界的绝对好奇，总是向所有正在发生的经验敞开。"

正如奥利维亚·亚瑟的《陌生人》，《窗台上的嗡嗡声》也让我们看到玛格南年轻一代如何利用街头摄影，进一步呈现和阐述这个全球化世界中权力的本质和人类的能动性。

彼得·凡·阿格特梅尔　莫拉拉巴卡罗协会（Molalla Buckeroo Association）的牛仔竞技表演结束后，莫拉拉，俄勒冈州，美国，2015

第 360 页：**彼得·凡·阿格特梅尔**　肯塔基德比赛马比赛（Kentucky Derby）期间，路易斯维尔，肯塔基州，美国，2016（局部）

彼得·凡·阿格特梅尔　好莱坞拉布雷亚酒店（La Brea Motel），好莱坞大道，洛杉矶，加利福尼亚州，美国，2013

"在我的脑海中，我能看到这样一个镜头：她直直看着我，而其他人迷失在他们自己的世界中……"

——彼得·凡·阿格特梅尔

彼得·凡·阿格特梅尔 皇宫剧院（Grand Palace Theatre），已于 2008 年关闭，布兰森，密苏里州，美国，2015

彼得·凡·阿格特梅尔 "第二线"铜管乐队（second line）游行，新奥尔良，路易斯安那州，美国，2012

彼得·凡·阿格特梅尔 黎明街头（J'Ouvert）派对，皇冠高地（Crown Heights），布鲁克林，纽约，纽约州，美国，2015

彼得·凡·阿格特梅尔 波特兰低收入住房社区的伊拉克小难民，俄勒冈州，美国，2015

彼得·凡·阿格特梅尔　远洛克威（Far Rockaway）街景，显示出飓风桑迪造成的破坏，皇后区，纽约，纽约州，美国，2012

"如果你认为美妙的事物只发生在好光线、好天气里，那你就是个懒惰的摄影师。"

——彼得·凡·阿格特梅尔

彼得 · 凡 · 阿格特梅尔　底特律冬日街景，底特律，密歇根州，美国，2009

ALEX WEBB

亚历克斯·韦伯

对出生于旧金山的亚历克斯·韦伯来说，20 世纪 70 年代是个分水岭。

1974 年成为职业摄影记者后，韦伯于 1976 年加入玛格南成为非正式成员。1978 年，他开始进行彩色摄影，后来这成为他最擅长的媒介。然而，尽管不断在世界各个角落——包括伊斯坦布尔、墨西哥和美国巴德兰兹地区（Badlands）等——拍出令人眼花缭乱且充满诗意的照片，韦伯的街拍方法仍然根植于最简单的人类活动方式。"我只会用走路的方式接近一个地方，"他说，"因为除了走路、观察、等待、聊天，然后再观察、再等待，努力保持信心，相信那出乎意料的、未知的或已知事物的秘密核心就在角落里等着之外，街头摄影师还能做些什么呢？"

凭借其教科书般的构图和对现成光源的微妙使用，韦伯的限量版摄影书《错位》（Dislocations，1998）或许最好地展示了美国街头摄影的美学。这里有几张照片就选自这本书。"有很多年，"他说，"我一直在研究这些入选照片，寻找它们之间的联系。我开始看到一种相互连贯的东西，并冒出了'错位'这个概念，不仅是地理意义上的，也是情感和心理意义上的。我经常这样研究照片，在一段时间内重复把玩它们，直到它们告诉我，'这应该成为一个摄影书项目'。"

接受委托拍摄——《错位》中的一些照片就是这样来的——和为摄影而摄影之间的张力在韦伯身上一直很明显。"我总是用诗意的眼光拍照，但有时必须加以调和才能在摄影界混下去……20 世纪 70—80 年代我刚起步时，杂志世界犹

存，我还能充分利用这个平台，向杂志编辑提出一些我打算拍的东西。我总在努力保持一种平衡，让他们满意，然后开始工作……我每到一个地方都尽可能用白板一样的脑袋去回应。我肯定会有一些先入为主的想法，但我尽量通过视觉和直觉上的回应来去掉这些东西。"

2010 年，我在伦敦东区遇到了韦伯，他正在为《国家地理》拍摄即将举行的奥运会相关项目。看着他一个个测试着那些徕卡数码测距仪，我心想，新相机时代不一样的节奏和要求，能否跟那些长期以来精通胶片摄影艺术和科学的摄影师互相调和？"伦敦东区是我第一个用数码相机拍摄的项目，"韦伯回忆说，"但即便我现在签约的都是这种拍摄方式，我回应这个世界的方式还是跟以前一样。相机的操作基本不变，虽然我承认，拍摄过程如果有间歇，有时我还是会从相机背面确认一下画面。

"因此我拍照的心态没有变，技巧也还是相同的。人们有时会说，你为什么不改变一下拍摄方式啊？但我想我的作品还是有一种不一样的调子在的。那里面有一种着迷，对海地那潜在的暴力强度，对佛罗里达的怪异感，或者更近的，探索我生活的地方——对我所身处的文化中的'美国'。但我拍摄这些地方的方法是一样的：一副敞开的心胸，让世界和相机带我去它们想去的地方。"

亚历克斯·韦伯　大邱，韩国，2013

第 370 页：**亚历克斯·韦伯**　夜店门口的妓女，新拉雷多（Nuevo Laredo），墨西哥，1978

第 372—373 页：**亚历克斯·韦伯**　慕尼黑，德国，1991

亚历克斯·韦伯　改装车展，亚特兰大，佐治亚州，美国，1996

亚历克斯·韦伯　金融区咖啡馆的霓虹灯，纽约，纽约州，美国，1994

第 376—377 页：**亚历克斯·韦伯**　墨西哥独立日庆典，芝加哥，伊利诺伊州，美国，2011

"我每到一个地方
都尽可能用白板一样的脑袋去回应。"

——亚历克斯·韦伯

亚历克斯·韦伯 巴塞罗那，西班牙，1992

第 380—381 页：**亚历克斯·韦伯** 埃斯特城（Ciudad del Este），巴拉圭，1998